武經七書

第三冊

〔春秋〕孫武 等 著

崇賢書院 釋譯

北京聯合出版公司

戰權第十二

原文 《兵法》曰：「千人而成權，萬人而成武。」權先加人者，敵不力交；武先加人者，敵無威接。故兵貴先。勝於此，則勝彼矣；弗勝於此，則弗勝彼矣。

譯文 《兵法》上說：「千人的軍隊可以形成以權謀取勝的態勢，萬人的軍隊可以形成以武力取勝的態勢。」搶先運用權謀攻擊敵人，敵人就無法施展力量與之交鋒；搶先使用武力攻擊敵人，敵人就沒有勇氣來迎戰。所以，用兵貴在先發制人。精於此道，就可戰勝敵人；不精於此道，就無法剋敵制勝。

原文 凡我往則彼來，彼來則我往，相爲勝敗，此戰之理然也。

譯文 凡是我軍前去進攻，敵軍必然前來迎戰；敵軍前來進攻，我軍必然前去迎戰。敵我雙方互爲勝敗，這就是戰爭的規律。

原文 夫精誠在乎神明，戰權在乎道之所極。有者無之，無者有之，安所信之。

譯文 指揮作戰專一而又冷靜，在於將領智慧超群；作戰善用權謀，在於洞徹用兵之道。有的僞裝成沒有，沒有的僞裝成有，敵人又如何來摸清我方的真實情況呢？

原文 先王之所傳聞者，任正去詐，存其慈順，決無留刑。

譯文 古代聖王之所以被後人所傳頌，是因爲他們任用正直的君子，摒除奸詐的小人，安撫善良之人，懲處邪惡毫不遲疑。

原文 故知道者，必先圖不知止之敗，惡在乎必往有功。輕進而求戰，敵復圖止，我往而敵制勝矣。故《兵法》曰：「求而從之，見而加之，主人不敢當而陵之，必喪其權。」

譯文 所以，通曉用兵之道的人一定會事先預料因不懂得適可而止所導致

故知戰道者，必失圖謀不知止之敗。古者逐奔不遠，從綏不及，是知止而無敗者也。若龍且、龐涓、李陵之徒，是不知止而致於敗者也。恐在乎必往而欲有功，輕進而求與人戰？若輕進而求與人戰，敵反謀止我生路而制勝矣！甚言不可輕進而求戰也。

的失敗，忌諱那些只知道一味出兵而求取成功的行爲。輕率地進兵求戰，敵人就會反過來設法實施阻擊。我軍貿然前往，敵軍就會取勝了。所以《兵法》上說：「如果敵軍求戰就立即應戰，見到敵軍就發起進攻，看到防守一方故意示弱而不敢抵擋就進行攻擊，這樣勢必會喪失戰爭的主動權。」

原文 凡奪者無氣，恐者不守，可敗者無人，兵無道也。意往而不疑則從之，奪敵而無敗則加之，明視而高居則威之，兵道極矣。

譯文 凡是喪失戰爭主動權的一方都缺乏士氣，心中恐懼的一方都無法堅守陣地，可以被擊敗的一方就相當於無人抵抗，這都是用兵無道的結果。決意出擊並且沒有任何疑慮，就應該窮追不捨；奪取敵人的士氣並且能使自己不敗，就要堅決發動進攻；明察秋毫，並且如居高臨下般擁有明顯優勢，就要以威勢震懾敵人。能夠做到這幾點，就算是洞徹用兵之道了。

原文 其言無謹，偷矣；其陵犯無節，破矣。水潰雷擊，三軍亂矣。必安其危，去其患，以智決之。高之以廊廟之論，重之以受命之論，銳之以踰垠之論，則敵國可不戰而服。

譯文 如果將領言語不慎，就會顯示出苟且偷安之心；如果將領發動進攻而沒有節制，就容易被敵軍擊破。這樣一來，軍隊就會像被洪水沖潰、被雷擊中一樣亂作一團。如果一定要轉危爲安，消除禍患，就要靠智慧來解決了。那就應該讓朝廷的決策高明而正確，讓將領的受命儀式莊嚴隆重，讓出境作戰的軍隊銳不可當。這樣，就可以不經過作戰而使敵國降服。

重刑令第十三

原文 將自千人以上，有戰而北，守而降，離地逃衆，命曰國賊。身戮家殘，去其籍，發其墳墓，暴其骨於市，男女公於官。自百人已上，有戰而北，守而降，離地逃衆，命曰軍賊。身死家

咸陽市五牛分商鞅

《秦律》是商鞅根據李悝的《法經》「改法爲律」而成的，裏面的酷刑種類繁多，並且十分殘忍。最終商鞅也沒有得到好下場。

殘，男女公於官。使民內畏重刑，則外輕敵。故先王明制度於前，重威刑於後。刑重則內畏，內畏則外堅矣。

譯文

帶兵超過千人的將領，有作戰而敗逃，防守時投降，擅自離開陣地拋棄軍隊逃跑的，稱爲「國賊」。對於這樣的人，應當殺戮其本人，抄滅全家，削掉戶籍，挖掘他的墳墓，將其屍骨暴露於街市之上，家中男女老少一概充爲官奴。帶兵百人以上的將領，有作戰而敗逃，防守時投降，擅自離開陣地拋棄軍隊逃跑的，稱爲「軍賊」。對於這樣的人，應當處決其本人，抄滅全家，家中男女老少一概充爲官奴。這樣，纔能使士兵對內畏懼重刑，對外輕視敵人。所以，前代聖王首先會彰明各項制度，然後施行嚴酷的刑罰。刑罰嚴酷，就會使人們畏懼國內的刑法；人們畏懼國內刑法，在對外作戰時就會堅強勇敢。

伍制令第十四

原文 軍中之制，五人爲伍，伍相保也；十人爲什，什相保也；五十爲屬，屬相保也；百人爲閭，閭相保也。

譯文 按照軍中的編制，五人爲一伍，同伍之人相互擔保；十人爲一什，同什之人相互擔保；五十人爲一屬，同屬之人相互擔保；百人爲一閭，同閭之人相互擔保。

原文 伍有干令犯禁者，揭之，免於罪；知而弗揭，全伍有誅。什有干令犯禁者，揭之，免於罪；知而弗揭，全什有誅。屬有干令犯禁者，揭之，免於罪；知而弗揭，全屬有誅。閭有干令犯禁者，揭之，免於罪；知而弗揭，全閭有誅。

譯文 一伍之中有違反禁令的，同伍之人揭發，可以免罪；知情而不揭發，全伍之人都要受到嚴懲。一什之中有違反禁令的，同什之人揭發，可以免罪；

知情而不揭發，全什之人都要受到嚴懲。一屬之中有違反禁令的，同屬之人揭發，可以免罪；知情而不揭發，全屬之人都要受到嚴懲。一閭之中有違反禁令的，同閭之人揭發，可以免罪；知情而不揭發，全閭之人都要受到嚴懲。

原文 吏自什長已上，至左右將，上下皆相保也。有干令犯禁者，揭之，免於罪；知而弗揭者，皆與同罪。

譯文 軍中各級將官，從什長以上直至左將軍、右將軍，上下級之間都要相互擔保。如果有人違反禁令，衹要揭發，就可以免罪；如果知情而不揭發，全都要與違令者同罪。

原文 夫什伍相結，上下相聯，無有不得之奸，無有不揭之罪。父不得以私其子，兄不得以私其弟，而況國人聚舍同食，烏能以干令相私者哉！

譯文 同什同伍的士卒相互具結擔保，上下級之間相互牽連，這樣就沒有

抓不到的奸人，沒有不被揭發的罪行。父親不能包庇兒子，兄長不能包庇弟弟，更何況原本沒有深交，衹是編在一起同喫同住的平民百姓，他們又怎麼會冒著觸犯法令的危險相互包庇呢！

分塞令第十五

原文 中軍、左、右、前、後軍，皆有分地，方之以行垣，而無通其交往。將有分地，帥有分地，伯有分地，皆營其溝域，而明其塞令。

譯文 中軍、左軍、右軍、前軍、後軍都有規定的營區，四週圍以藩籬，使各營區之間不得隨意往來。萬人之將有規定的營區，千人之帥有規定的營區，掌管百人的伯長也有規定的營區。各個營區之間都要修建界溝，同時要彰明營區禁令。

原文 使非百人無得通。非其百人而入者，伯誅之；伯不誅，與之同罪。

譯文 如果不是本閭的人，就不得通行。凡是本閭以外的人進入營區，伯長都要予以嚴懲；伯長如果沒有對其加以懲治，就要承擔與犯禁者相同的罪責。

原文 軍中縱橫之道，百有二十步而立一府柱，量人與地。柱道相望，禁行清道。

譯文 軍營內縱橫交錯的道路上，每隔一百二十步就要立一根旗杆，以此來計量兵員的數量和營地的距離。旗杆與道路相對，禁止隨意通行，以肅清道路。

原文 非將吏之符節，不得通行。採薪芻牧者，皆成行伍；不成行伍者，不得通行。吏屬無節，士無伍者，橫門誅之。踰分干地者，誅之。故內無干令犯禁，則外無不獲之奸。

譯文 沒有將領發放的符節，不得通行。打柴、喂養牲口的勤雜人員，都要排列隊伍；如果沒有排隊，就不得通行。各級將領的屬官若沒有符節，士卒若沒有編入隊伍，在營門前一經發現就要加以懲處。越過自己的營區而進入別人的地界，都要加以嚴懲。所以，軍隊內部沒有違反禁令的，外部就沒有破獲不了的奸細。

卷第四

束伍令第十六

原文 束伍之令曰：五人爲伍，共一符，收於將吏之所。亡伍而得伍，當之；得伍而不亡，有賞；亡伍不得伍，身死家殘。亡長得長，當之；得長不亡，有賞；亡長不得長，身死家殘。復戰得首長，除之。亡將得將，當之；得將不亡，有賞；亡將不得將，坐離地遁逃之法。

譯文 約束軍隊的法令規定：五人爲一伍，共同簽署符信，存放在軍中執法的官吏那裏。同伍之人傷亡，同時又斬獲了數量相當的敵軍，則功過相抵；斬獲敵軍而同伍之人沒有傷亡，可獲得獎賞；同伍之人傷亡而沒有斬獲數量相當的敵軍，就要將其處死，抄滅全家。自己的什長、伯長傷亡，同時又斬獲了敵軍的什長、伯長，則功過相抵；斬獲敵軍什長、伯長而自己的什長、伯長沒有傷亡，就可獲得獎賞；自己的什長、伯長傷亡，又沒有斬獲敵軍的什長、伯長，就要將其處死，抄滅全家。如果再戰斬獲敵軍的什長、伯長的首級，則可以解除罪名。自己的將帥傷亡，同時又斬獲了敵軍的將帥，則功過相抵；斬獲敵軍將帥而自己的將帥沒有傷亡，就可獲得獎賞；自己的將帥傷亡，又沒有斬獲敵軍的將帥，就要按照臨陣脫逃的軍法定罪。

原文 戰誅之法曰：什長得誅十人，伯長得誅什長，千人之

長者，十人之長。曰什百人之長，曰伯是也。失吾一首長，而得人一首長，當之；得人一首長，而不失吾之首長者，有賞；亡吾一首長不得人之首長者，戮其身而殘其家。若欲復戰，得人之首長者，除其罪。

將得誅百人之長，萬人之將得誅千人之將，左右將軍得誅萬人之將，大將軍無不得誅。

譯文　戰場懲處的法令規定：什長可以懲治自己管轄的十個人，伯長可以懲治自己管轄的什長，千人之將可以懲治自己管轄的百人之長，萬人之將可以懲治自己管轄的千人之將，左將軍和右將軍可以懲治萬人之將，大將軍對軍中所有人都有權懲治。

經卒令第十七

原文　經卒者，以經令分之爲三分焉：左軍蒼旗，卒戴蒼羽；右軍白旗，卒戴白羽；中軍黃旗，卒戴黃羽。

譯文　對士卒進行管理，就是按照編隊條令將他們分爲三部分：左軍使用青色旗幟，士卒佩戴青色羽毛；右軍使用白色旗幟，士卒佩戴白色羽毛；中軍使用黃色旗幟，士卒佩戴黃色羽毛。

原文　卒有五章：前一行蒼章，次二行赤章，次三行黃章，次四行白章，次五行黑章。次以經卒，亡章者有誅。前一五行置章於首，次二五行置章於項，次三五行置章於胸，次四五行置章於腹，次五五行置章於腰。

譯文　士卒有五種顏色的標識：第一行用青色標識，第二行用紅色標識，第三行用黃色標識，第四行用白色標識，第五行用黑色標識。按照這一次序對士卒進行編排，丟失標識者要予以懲治。第一個五行要把標識佩戴在頭上，第二個五行要把標識佩戴在脖子上，第三個五行要把標識佩戴在胸部，第四個五行要把標識佩戴在腹部，第五個五行要把標識佩戴在腰部。

原文　如此，卒無非其吏，吏無非其卒。見非而不詰，見亂而不禁，其罪如之。

譯文　按照這一原則編隊，士卒就不會混淆自己的將官，將官也不會混淆

自己的士卒。見到錯誤而不加以追究，見到混亂而不加以禁止，那麼他的罪過就與犯禁者相同。

【原文】**鼓行交鬥，則前行進爲犯難，後行退爲辱衆。踰五行而前者有賞，踰五行而後者有誅。所以知進退先後，吏卒之功也。故曰：鼓之前如雷霆，動如風雨，莫敢當其前，莫敢躡其後。言有經也。**

【譯文】擊鼓進軍，與敵軍交鋒，超越同一行列而前進迎敵就是敢冒死難，落後於同一行列而畏縮退卻就是貪生怕死，玷污衆人。衝鋒時超越前面五行的應予以獎賞，落後於身後五行的要予以懲治。這樣，就可以知道部隊的進退情況，從而爲將士評定戰功。所以說：戰鼓敲響，將士們前進就如同雷霆一樣迅捷，行動就如暴風雨般猛烈，敵軍無人敢在前面阻擋，也無人敢在後面追蹤。這就是說有合理的編制制度啊。

勒卒令第十八

【原文】**金、鼓、鈴、旗，四者各有法：鼓之則進，重鼓則擊。金之則止，重金則退。鈴，傳令也。旗，麾之左則左，麾之右則右。奇兵則反是。**

【譯文】金、鼓、鈴、旗這四樣東西各有其使用方法：擊鼓就要前進，再次擊鼓就要出擊。鳴金就要停止，再次鳴金就要撤退。鈴，是用來傳達命令的。旗，向左揮舞，軍隊就要向左移動；向右揮舞，軍隊就要向右移動。奇兵的指揮信號則與此相反。

【原文】**一鼓一擊而左，一鼓一擊而右。一步一鼓，步鼓也；十步一鼓，趨鼓也。音不絕，騖鼓也。商，將鼓也；角，帥鼓也；小鼓，伯鼓也。三鼓同，則將、帥、伯其心一也。奇兵則反是。**

【譯文】有時擊鼓一下出擊一次而向左轉，有時擊鼓一下出擊一次而向右

轉。行進一步擊一下鼓，這是使軍隊步伐整齊的鼓聲。每行進十步擊一下鼓，這是命令軍隊快步前進的鼓聲。鼓聲不斷，這是命令軍隊快速奔跑的鼓聲。發出商音的鼓，是萬人之將使用的；發出角音的鼓，是千人之帥使用的；聲音細小的鼓，是伯長使用的。這三種鼓聲音和同，表明將、帥、伯長意圖一致。奇兵的指揮信號則與此相反。

原文 **鼓失次者有誅，喧嘩者有誅，不聽金、鼓、鈴、旗而動者有誅。**

譯文 不按照規矩擊鼓的，要受懲處；在軍中喧嘩吵鬧的，要受懲處；不按照金、鼓、鈴、旗的指揮而擅自行動的，要受懲處。

原文 **百人而教戰，教成合之千人；千人教成，合之萬人；萬人教成，會之於三軍。三軍之衆，有分有合，爲大戰之法，教成，試之以閱。**

譯文 以百人爲單位進行軍事訓練，訓練完成後，再集合成千人的單位進行訓練；千人訓練完成後，再集合成萬人的單位進行訓練；萬人訓練完成後，再集合全軍進行訓練。三軍將士進行訓練時，有分散也有集中，這是大規模作戰的訓練方式。訓練完成後，要以演習的形式進行考核。

原文 **方亦勝，圓亦勝；錯邪亦勝，臨險亦勝。敵在山，緣而從之；敵在淵，沒而從之。求敵若求亡子，從之無疑，故能敗敵而制其命。**

譯文 方陣可以取勝，圓陣也可以取勝；身處交錯複雜的地形可以取勝，身處險要環境也可以取勝。敵人在高山之上，就要攀上山峰予以攻擊；敵人在深潭之下，就要潛入水中進行追蹤。尋找敵人決戰就如同尋找丟失的孩子那樣志在必得，追擊敵軍毫不遲疑，所以能夠擊敗敵人而將其致死。

原文 **夫蚤決先定。若計不先定，慮不蚤決，則進退不定，疑**

生必敗。故正兵貴先，奇兵貴後。或先或後，制敵者也。

譯文　用兵應該儘早決斷，事先制定計劃。如果計劃沒有事先制定，策略沒有及早決斷，那麼軍隊就會進退不定，產生疑惑，這樣勢必會導致失敗。所以，正兵貴在先發制人，奇兵貴在後發制人。或是先發制人，或是後發制人，都是出於剋敵制勝的需要。

原文　世將不知法者，專命而行，先擊而勇，無不敗者也。其舉有疑而不疑，其往有信而不信，其致有遲疾而不遲疾。是三者，戰之累也。

譯文　一些平庸的將領不懂得這種奇正變化的用兵之法，卻不聽命令而獨斷專行，搶先出擊而彰顯其勇武，最終沒有不失敗的。起兵之時明明有可疑之處，卻不加懷疑；進軍之時形勢有利，卻猶疑不信；到達目的地進行戰鬥時，當慢不慢，當快不快。這三點，都是作戰的危害。

戰長勺曹劌敗齊

齊魯兩個諸侯國的長勺之戰，最終魯國因其先發制人、敵疲再打的防禦原則而取勝，一直爲歷代兵家所稱道。

將軍既受君命，則告於衆曰：「出國門之外，期以日中，設營表於轅門期之，如過時後至者，則坐以法。」如穰苴與莊賈期而賈後至，斬之是也。表，柱也。轅門者，軍止宿之處。次車以爲藩，仰車以其轅。表，門也。

將令第十九

原文 將軍受命，君必先謀於廟，行令於廷。君身以斧鉞授將，曰：「左、右、中軍，皆有分職。若踰分而上請者死。軍無二令，二令者誅，留令者誅，失令者誅。」

譯文 將軍接受任命，君主一定要在宗廟進行謀劃，然後在朝廷上發號施令。君主親自將斧鉞授予將軍，說：「左軍、右軍、中軍，都有各自的職責。如有越級報告的處死。除將軍外，擅自發佈命令的嚴懲。扣壓命令的嚴懲。貽誤命令執行的嚴懲。」

原文 將軍告曰：「出國門之外，期日中，設營表，置轅門，期之。如過時則坐法。」

譯文 將軍受命以後告訴部衆：「出國都城門之外，以正午作爲軍隊集合期限，在那裏設置營表和轅門，在規定時間內等待將士報到。如果超時未到，就要依法治罪。」

原文 將軍入營，即閉門清道。有敢行者誅，有敢高言者誅，有敢不從令者誅。

譯文 將軍進入軍營，立即關閉營門，清道戒嚴。有膽敢隨意走動者要予以嚴懲，有膽敢高聲喧嘩者要予以嚴懲，有膽敢不服從命令者要予以嚴懲。

踵軍令第二十

原文 所謂踵軍者，去大軍百里，期於會地，爲三日熟食，前軍而行。爲戰合之表，合表乃起。踵軍饗士，使爲之戰勢，是謂趨戰者也。

譯文 所謂的踵軍，要距離主力部隊百里遠，按照規定時間到達指定的會合地點，並且要準備好三天的乾糧，在大部隊之前出發。到了戰鬥的時候，應該驗合表記，表記相合就可以開始行動。踵軍行動之前，應該用酒肉犒勞將

士，使部隊進入戰鬥狀態，這就是所謂的趨戰。

原文　興軍者，前踵軍而行，合表乃起。去大軍一倍其道，去踵軍百里，期於會地。爲六日熟食，使爲戰備。

譯文　興軍，要在踵軍之前出發，合於表記就可開始行動。興軍距離主力部隊要比踵軍遠一倍的路程，距離踵軍百里遠，按照規定時間抵達會合地點。要準備六天的乾糧，並做好戰鬥準備。

原文　分卒據要害，戰利則追北，按兵而趨之。

譯文　零散部隊應據守各個要塞。作戰有利就追擊敗逃的敵軍，平時則要約束好部隊，隨時準備投入戰鬥。

原文　踵軍遇有還者，誅之。所謂諸將之兵，在四奇之內者勝也。

譯文　踵軍遇到從前方逃回的士卒，要對其加以嚴懲。衆將所率領的士卒如果都能在大軍、踵軍、興軍、分卒這四部之內忠於職守，勝利就有了保障。

原文　兵有什伍，有分有合，豫爲之職，守要塞關梁而分居之。戰合表起，即皆會也。大軍爲計日之食，起，戰具無不及也。令行而起，不如令者有誅。

譯文　士卒有什伍的編制，有分散也有集中，應預先使其明確各自的職責，分兵把守軍事要塞、水陸要道。戰爭打響以後，驗合表記就可以行動，都要立即按照規定集結。主力部隊準備好按日計算的糧食，開始行動以後，作戰器具應無不齊備。命令下達就開始行動，不按照命令行事的應予以嚴懲。

原文　凡稱分塞者，四境之內，當興軍、踵軍既行，則四境之民，無得行者。奉王之命，授持符節，名爲順職之吏。非順職之吏而行者，誅之。戰合表起，順職之吏乃行，用以相參。故欲戰，先安內也。

譯文　凡是擔任分兵駐守要塞任務的部隊，在四週邊境範圍之內，當與軍、踵軍開始行動以後，邊境範圍內的百姓就不得通行。尊奉君王之命、被授予符節的官員，就做順職之吏。不是順職之吏而隨便通行的，都要予以懲處。戰爭打響，驗合表記之後就可以行動。順職之吏應同時出發，藉以相互檢查參驗。所以，要想對外作戰，首先要安定內部。

卷第五

兵教上第二十一

原文　兵之教令，分營居陳，有非令而進退者，加犯教之罪。前行者，前行教之；後行者，後行教之；左行者，左行教之；右行者，右行教之。教舉五人，其甲首有賞；弗教，如犯教之罪。羅地者，自揭其伍。伍內互揭之，免其罪。

譯文　軍隊的訓練條令規定，應劃分營區，各自據守陣地，有違抗命令擅自前進或後退的，應判處違反訓練條令之罪。前行的士兵，由前行軍官負責訓練；後行的士兵，由後行軍官負責訓練；左行的士兵，由左行軍官負責訓練；右行的士兵，由右行軍官負責訓練。訓練好全部五人，負責訓練的甲首就可以得到獎賞；如果沒有組織訓練，則要按照違反訓練條令的罪名加以懲治。擅自離開訓練場地的，應該由同伍之人揭發。同伍之中有相互揭發的，可以免罪。

原文　凡伍臨陳，若一人有不進死於敵，則教者如犯法者之罪。凡什保什，若亡一人而九人不盡死於敵，則教者如犯法者之罪。自什已上至於裨將，有不若法者，則教者如犯法者之罪。凡明刑罰，正勸賞，必在乎兵教之法。

譯文　凡是同伍之人臨陣作戰，如果其中有一個人不衝向前方與敵人拚

死搏鬥，那麼負責訓練的軍官就與違反軍法的人同罪。同什之人互相保舉，如果其中有一人傷亡而其餘九人不拚死與敵人作戰，那麼負責訓練的軍官就與違反軍法的人同罪。從什長以上直至裨將，有不遵守軍法的，負責訓練的軍官就與違反軍法的人同罪。但凡要使刑罰嚴明，獎勵公正，就一定要明察軍隊訓練的法令。

原文 將異其旗，卒異其章。左軍章左肩，右軍章右肩，中軍章胸前，書其章曰「某甲某士」。前後章各五行，尊章置首上，其次差降之。

譯文 將領要使用不同的旗幟，士卒要佩戴不同的標識。左軍的標識要戴在左肩，右軍的標識要戴在右肩，中軍的標識要戴在胸前，上面要書寫「某甲某人」。每支隊伍佩戴標識的士卒分爲前後五行，第一行要將標識置於頭上，其餘各行依次降低標識的位置。

原文 伍長教其四人，以板爲鼓，以瓦爲金，以竿爲旗。擊鼓而進，低旗則趨，擊金而退。麾而左之，麾而右之，金鼓俱擊而坐。

譯文 伍長負責訓練同伍的其他四人，以木板代替鼓，以瓦器代替金，以竹竿代替旗幟。擊鼓就要前進，旗幟放低就要快走，鳴金就要後退。旗幟向左揮舞就向左移動，向右揮舞就向右移動。金鼓齊鳴，就要擺好坐陣。

原文 伍長教成，合之什長；什長教成，合之卒長；卒長教成，合之伯長；伯長教成，合之兵尉；兵尉教成，合之裨將；裨將教成，合之大將。大將教之，陳於中野。置大表三，百步而一。既陳，去表百步而決，百步而趨，百步而騖。習戰以成其節，乃爲之賞法。

譯文 伍長完成訓練任務，就集合隊伍由什長訓練；什長完成訓練任務，

就集合隊伍由卒長訓練；卒長完成訓練任務，就集合隊伍由伯長訓練；伯長完成訓練任務，就集合隊伍由兵尉訓練；兵尉完成訓練任務，就集合隊伍由裨將訓練；裨將完成訓練任務，就集合隊伍由大將訓練。大將負責訓練全軍，在原野之中排兵佈陣。設置三根大表竿，每隔百步設一根。軍陣佈置完畢以後，離開表竿，第一個一百步要齊步走，第二個一百步要快步走，第三個一百步要跑步前進。通過反復演習來確立軍隊的約束原則，並制定相應的獎賞制度。

原文 **自尉吏而下盡有旗。戰勝得旗者，各視其所得之爵，以明賞勸之心。戰勝在乎立威，立威在乎戮力，戮力在乎正罰。正罰者，所以明賞也。**

譯文 自兵尉以下各級軍官也都有旗幟。戰勝敵軍並奪取敵軍旗幟者，分別按照各自繳獲的旗幟來賞賜爵位，以此來彰明君主獎賞、激勵有功人員的意圖。戰勝敵人在於樹立軍威，樹立軍威在於人人盡力，人人盡力在於刑罰嚴正。刑罰嚴正，也是用來彰明獎賞的一種手段。

原文 **令民背國門之限，決死生之分，教之死而不疑者，有以也。令守者必固，戰者必鬥；奸謀不作，奸民不語；令行無變，兵行無猜；輕者若霆，奮敵若驚；舉功別德，明如白黑。令民從上令，如四支應心也。**

譯文 讓士卒離開國門，在生死關頭作出勇敢的抉擇，讓他們拼死作戰而不猶豫，這是有原因的。要讓防守部隊務必堅固，進攻部隊務必敢於戰鬥；陰謀不能興起奸人不敢言語；命令一旦施行就不輕易變更，軍隊行動沒有猜疑；行動輕捷猶如閃電，奮勇殺敵如同驚馬；評論功德，要黑白分明。這樣，就可以使士卒服從上級命令，如同四肢受心志支配那樣運用自如。

原文 **前軍絕行亂陳，破堅如潰者，有以也。此之謂兵教，所**

令守者必堅固，戰者必勇鬥；奸邪之謀不興作，奸邪之民不相語；號令行而無變更，兵衆行而無猜疑；輕者，如雷霆之迅。《正義》曰：「人馬不帶甲，曰『輕兵』」《春秋左傳》作「輕，音去聲」義亦通。奮擊敵人，若震驚之疾。舉有功，別有德，明顯如白黑之色。使民聽從在上之令，如兩手兩足之應心也。

項羽

一個好的君主或是將領不會被奸人的陰謀和讒言所利用、驅使。而項羽在這方面卻恰恰相反，中了陳平的離間計，不再信任剛正不阿的臣子亞父范增和鍾離眛。

以開封疆，守社稷，除患害，成武德也。

譯文 前鋒部隊沖破敵陣，攻破堅固的城池，使敵人如同潰堤般敗退，這是有原因的。以上這些就稱爲軍隊訓練，是用來開拓疆土、保衛國家、消除禍患、成就武功的重要手段。

兵教下第二十二

原文 臣聞人君有必勝之道，故能併兼廣大，以一其制度，則威加天下。有十二焉：一曰連刑，謂同罪保伍也；二曰地禁，謂禁止行道，以網外奸也；三曰全車，謂甲首相附，三五相同，以結其聯也；四曰開塞，謂分地以限，各死其職而堅守也；五曰分限，謂左右相禁，前後相待，垣車爲固，以逆以止也；六曰號別，謂前列務進，以別其後者，不得爭先登不次也；七曰五章，謂彰明行列，始卒不亂也；八曰全曲，謂曲折相從，皆

有分部也；九曰金鼓，謂與有功，致有德也；十曰陳車，謂接連前矛，馬冒其目也；十一曰死士，謂衆軍之中有材力者，乘於戰車，前後縱橫，出奇制敵也；十二曰力卒，謂經旗全曲，不麾不動也。

譯文 臣下聽說國君掌握了必勝之道，就能兼併敵國，擴張疆域，統一原本不同的制度，從而威震天下。必勝之道有以下十二個方面：一是連刑，就是說士卒有罪同當，同伍相保；二是地禁，就是說在軍營中禁止隨便往來行走，以便捕獲外來的奸細；三是全車，就是說每輛戰車上的甲士都要相互依附，戰車所轄步兵的行列要協調有序，以便形成緊密的聯繫；四是開塞，就是說劃分地域設防，各部隊都甘願以身殉職以堅守陣地；五是分限，就是說左右軍隊相互警戒，先後軍隊相互照應，將戰車排列起來加固營壘，用以迎擊敵軍、安營紮寨；六是號別，就是說前面的行列要努力前進以示有別於後

面的行列，後面的行列不得爭先搶功而破壞隊列次序；七是五章，就是說要用五種顏色的標識來明確軍陣行列，使隊列始終不亂；八是全曲，就是說軍隊各部曲折相從，都有自己的轄區；九是金鼓，就是說要指揮得當，這樣興兵作戰纔能立功，從而達到目的，建立武德；十是陳車，就是說戰車連直前鋒部隊，罩住戰馬的眼睛；十一是死士，就是說要從全軍各部之中挑選武藝高強的勇士，讓他們乘着戰車，前後左右縱橫沖殺，出奇制勝，制服敵軍；十二是力卒，就是說讓得力的勇士掌管旗幟，協調各部，使各部未見揮旗就不得擅自行動。

原文 此十二者教成，犯令不捨。兵弱能強之，主卑能尊之，令弊能起之，民流能親之，人衆能治之，地大能守之。國車不出於閫，組甲不出於橐，而威服天下矣。

譯文 這十二個方面訓練完成以後，如果有人違反法令，絕不寬赦。這樣，

軍隊原本弱小就會變得強大，君主原本卑怯就會變得尊貴，法令廢弛就能重新啟用，百姓流離失所就能夠親附，人口衆多就能夠治理良好，土地廣闊就能夠守衛。國都之中的戰車不必駛出郭門，收藏起來的鎧甲不必從口袋裏取出來，便可以威懾天下了。

【原文】**兵有五致：爲將忘家，踰垠忘親，指敵忘身，必死則生，急勝爲下。百人被刃，陷行亂陳；千人被刃，擒敵殺將；萬人被刃，橫行天下。**

【譯文】用兵要做到五點：擔任將領，就要忘掉家室；越境作戰，就要忘掉父母雙親；面對敵人，就要忘掉自身安危；抱著必死的決心，就能死裏求生；急於求勝，就要調動部下的積極性。百人冒著鋒刃拚死作戰，就可以沖破敵軍陣列；千人拚死作戰，就可以擒獲敵軍，殺死敵將；萬人拚死作戰，就可以橫行天下，所向無敵。

【原文】**武王問太公望曰：「吾欲少間而極用人之要。」望對曰：「賞如山，罰如溪。太上無過，其次補過，使人無得私語。諸罰而請不罰者死，諸賞而請不賞者死。」**

【譯文】周武王問太公望：「我想在短時間內洞徹用人的要領。」太公望回答道：「獎賞要像山一樣高而重，懲罰要像深谷一樣深而厚。實施賞罰，最好的狀態是沒有過失，次一點的狀態是萬一賞罰有誤，儘快補救，使人不私下議論。凡是應當受罰的，如果請求不罰，就要處死；凡是應當獎賞的，如果請求不賞，也要處死。」

【原文】**伐國必因其變，示之財以觀其窮，示之弊以觀其病，上乖者下離。若此之類，是伐之因也。**

【譯文】討伐敵國，一定要利用其內部的變故。考察敵國的財力，以此來瞭解它貧窮的程度；考察敵國的政治弊端，以此來瞭解它的危機；上層統治者

暴虐無道，就會導致衆叛親離。諸如此類的情況，都是討伐敵國的有利條件。

原文 **凡興師必審內外之權，以計其去。兵有備闕，糧食有餘不足，校所出入之路，然後興師伐亂，必能入之。**

譯文 凡是興兵作戰，一定要審察內外形勢的優劣，以此來決定進退。要瞭解兵力充足還是缺乏，糧食富餘還是不足，勘察軍隊所要經過的道路，然後再興兵討伐暴亂，這樣一定能夠攻入敵國。

原文 **地大而城小者，必先收其地；城大而地窄者，必先攻其城；地廣而人寡者，則絕其阨；地狹而人衆者，則築大堙以臨之。無喪其利，無奪其時，寬其政，夷其業，救其弊，則足以施天下。**

譯文 敵國城外郊野土地面積大而城郭小的，一定要先奪取郊野的土地；城郭大而郊野土地狹窄的，一定要先攻取城郭；郊野廣闊而人口稀少的，要

切斷其險要道路；郊野狹窄而人口衆多的，要修築土山居高臨下。攻剋敵方城郭以後，不要損害敵國百姓利益，不要耽誤農時。要放寬政策，安定百姓的家業，拯救民衆的疾苦。這樣就足以對天下發號施令了。

原文 **今戰國相攻，大伐有德。自伍而兩，自兩而師，不一其令。率俾民心不定，徒尚驕侈。謀患辯訟，吏究其事，累且敗也。日暮路遠，還有挫氣，師老將貪，爭掠易敗。**

譯文 如今，天下征戰之國互相攻擊，大舉討伐施行德政的國家。軍隊從伍到兩，從兩到師，不能統一號令。通常導致人心不定，只崇尚驕奢淫逸。軍隊內部圖謀不軌，不斷爭訟，執法官吏忙於追究，不但消耗精力，而且會敗壞大事。天色已晚，道路遙遠，罷兵回師，挫傷銳氣。軍隊久戰力衰，將領貪功心切，這時大肆爭奪擄掠，很容易失敗。

原文 **凡將輕、壘卑、衆動，可攻也；將重、壘高、衆懼，可**

士衆夜自相擊者，驚也；如周亞夫平吳楚軍中夜驚是也。士衆遇事相避者，心離也。等待人之救援，期與之戰而迫蹙者，皆失心而傷氣者也。心主謀而氣主鬥，失心傷氣安能設策而進戰。傷氣者自敗其軍，曲謀者自敗其國。曲，一偏也。謀拘一偏，失心者也。

圍也。凡圍，必開其小利，使漸夷弱，則節吝有不食者矣。衆夜擊者，驚也；衆避事者，離也；待人之救，期戰而蹷，皆心失而傷氣也。傷氣敗軍，曲謀敗國。

譯文 凡是將領輕率、營壘低矮、人心浮動的軍隊，可以對其進攻；對於將領穩重、營壘高大、人心恐懼警覺的軍隊，可以將其包圍。凡是圍困，一定要留出缺口，用小利引誘敵軍，使其力量逐漸消耗，即使飲食節省，最後也會無糧可食。敵軍夜間敲擊器物，是內心驚恐的表現；敵軍躲避公事，是離心離德的表現；敵軍等待救援，約定交戰日期卻又局促不安，這是鬥志喪失、士氣受挫的表現。士氣受損就會使軍隊潰敗，錯誤的謀劃則會使國家敗亡。

兵令上第二十三

原文 兵者，凶器也；爭者，逆德也。事必有本，故王者伐暴亂，本仁義焉。戰國則以立威、抗敵、相圖，而不能廢兵也。

譯文 軍隊，是凶險之器；戰爭，是違逆道德的行爲。凡事必有其根本，所以王者討伐暴亂，必以仁義爲本。征戰之國卻以樹立威名、與敵人抗衡、相互圖謀爲目的，因而無法停止戰爭。

原文 兵者，以武爲植，以文爲種；武爲表，文爲裏。能審此二者，知勝敗矣。文所以視利害，辨安危；武所以犯強敵，力攻守也。

譯文 戰爭，是以武力作爲骨幹，以文德作爲根基；以武力作爲外在表象，以文德作爲內在本質。能夠明察二者之間的關係，就可以預知戰爭的勝敗了。文德是用來考察利害、辨別安危的；武力是用來打擊強敵、致力於攻守的。

原文 專一則勝，離散則敗。陳以密則固，鋒以疏則達。卒畏將甚於敵者勝，卒畏敵甚於將者敗。所以知勝敗者，稱將於敵也。敵與將，猶權衡焉。

【譯文】團結一致就會取勝，分崩離析就會失敗。軍陣密集纔會牢固，前鋒疏散纔能靈活通達。士卒畏懼將領甚於畏懼敵軍就會取勝，士卒畏懼敵軍甚於畏懼將領就會失敗。所以，要想預知戰爭的勝敗，就要衡量己方將領和敵軍究竟誰對士卒的威懾力更強。敵軍與己方將領，就好比天平兩邊的重物一樣。

【原文】**安靜則治，暴疾則亂。出卒陳兵有常令，行伍疏數有常法，先後之次有適宜。常令者，非追北襲邑攸用也。前後不次則失也。亂先後斬之。**

【譯文】安穩冷靜就會秩序井然，暴躁輕率就會混亂不堪。出兵列陣要有固定的號令，隊列的疏密要有一定的標準，前後次序要適度合理。固定的號令，並不是追擊敵軍、襲擊城邑所使用的。前後次序錯亂，就會導致失敗。擾亂前後次序者應當處斬。

【原文】**常陳皆向敵，有內向，有外向；有立陳，有坐陳。夫內向所以顧中也，外向所以備外也；立陳所以行也，坐陳所以止也。立坐之陳，相參進止，將在其中。坐之兵劍斧，立之兵戟弩，將亦居中。**

【譯文】常規的軍陣都是面向敵軍的，有的向內部收縮，有的向外部擴張；有的排列立陣，有的排列坐陣。軍陣向內收縮，是爲了保衛中央主將；軍陣向外擴張，是爲了防備敵軍；排列立陣，是爲了行軍作戰；排列坐陣，是爲了駐兵防禦。立陣和坐陣交替變化，軍隊有進有止，主將處於軍陣中央。坐陣所使用的兵器是劍、斧，立陣所使用的兵器是戟、弩，主將也要處在軍陣中央進行指揮。

【原文】**善禦敵者，正兵先合，而後扼之，此必勝之術也。**

【譯文】善於抵擋敵人的將領，會先派常規部隊與之交戰，而後出動奇兵將

其殲滅。這是必勝的戰術。

原文 陳之斧鉞，飾之旗章，有功必賞，犯令必死，存亡死生，在枹之端。雖天下有善兵者，莫能禦此矣。

譯文 陳設執法的刑具，配備旗幟、標識。有功者一定要予以獎賞，違反法令者一定要處死。士卒的生死存亡完全在於將領的指揮。這樣，即使天下有善於用兵的人，也無法抵擋得到正確指揮的軍隊。

原文 矢射未交，兵刃未接，前噪者謂之虛，後噪者謂之實，不噪者謂之秘。虛、實、秘者，兵之體也。

譯文 當敵我雙方的弓箭還未對射，兵刃還未交接之時，前軍鼓噪呼喊的屬於虛張聲勢，後軍鼓噪呼喊的表明力量充實，沒有鼓噪呼喊的是因爲有隱秘的行動。虛、實、秘這三種情況，是用兵的三種形態。

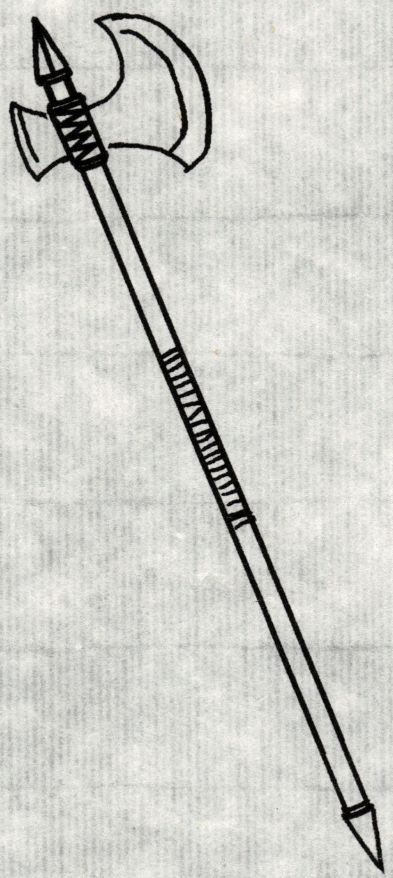

鉞

鉞，一種與斧類似的兵器，由青銅或鐵製成，鋒利無比，雖然極具殺傷力，但一般被用作禮器，象徵權力與刑法。

兵令下第二十四

【原文】諸去大軍爲前禦之備者，邊縣列候，各相去三五里。聞大軍爲前禦之備，戰則皆禁行，所以安內也。

【譯文】離開主力部隊擔任前沿防禦任務的各個守備部隊，要在邊境修建土堡，各個土堡之間相隔三五里。得到主力部隊出發的消息以後，就要做好前沿防禦準備；戰爭一旦開始，就要全部禁止通行，以此來確保內部安全。

【原文】內卒出戍，令將吏授旗鼓戈甲。發日，後將吏及出縣封界者，以坐後戍法。兵戍邊一歲遂亡，不候代者，法比亡軍。父母妻子知之，與同罪；弗知，赦之。卒後將吏而至大將所一日，父母妻子盡同罪。卒逃歸至家一日，父母妻子弗捕執及不言，亦同罪。

【譯文】國內的士卒出外戍邊，要讓將吏向他們發放旗鼓、兵器和甲衣。到了出發之日，如果有戍卒在將吏之後纔出縣境，就要按照後戍法予以嚴懲。士卒戍邊一年以後擅自離開，而不等待接替者，要參照逃兵的罪名予以懲罰。父母、妻子、兒女如果知情，也與犯法者同罪；如果不知情，就可以寬赦。士卒比將吏晚一天到大將那裏報到的，父母、妻子、兒女也都與之同罪。士卒逃跑回家哪怕衹有一天，父母、妻子、兒女如果不將其拘捕又不告發，也同樣有罪。

【原文】諸戰而亡其將吏者，及將吏棄卒獨北者，盡斬之。前吏棄其卒而北，後吏能斬之而奪其卒者賞。軍無功者，戍三歲。

【譯文】凡是士卒在戰鬥期間擅自離開將吏的，以及將吏離棄士卒而獨自敗逃的，都要處斬。軍陣前列的將吏離棄士卒而獨自敗逃，後列的將吏若能將其斬殺並收編其下屬士卒，應予以獎賞。在戰鬥中沒有立過戰功的，應謫戍三年。

臣以謂卒逃歸者，同舍伍人及主典之吏，罰入糧為饒，名為軍實。是以一軍之名，而有二實之出；使國內空虛，自竭軍民卒歲之計；何以得免奔北之禍乎！意惠王時有此法，故尉繚子言之。

原文 三軍大戰，若大將死，而從吏五百人已上不能死敵者斬；大將左右近卒在陳中者皆斬；餘士卒有軍功者奪一級，無軍功者戍三歲。

譯文 全軍參戰，如果大將陣亡，而擁有衛兵五百人以上的將吏不能與敵人拚死戰鬥的，都要處斬；大將身邊的衛兵當時在軍陣之中的，一律處斬；至於其他士卒，曾因功賜爵的一律降低一級爵位，沒有立過軍功的都要謫戍三年。

原文 戰亡伍人，及伍人戰死不得其屍，同伍盡奪其功；得其尸，罪皆赦。

譯文 作戰時一伍之中有人逃亡，以及伍人戰死而同伍之人沒能搶回其屍體，同伍其他人的戰功都要被削去；如果搶回其屍體，罪責可全部赦免。

原文 軍之利害，在國之名實。今名在官而實在家。官不得其實，家不得其名。聚卒為軍，有空名而無實，外不足以禦敵，內不足以守國，此軍之所以不給，將之所以奪威也。

譯文 軍隊的利害所繫，在於國家登記在冊的兵員名數與實際人員是否相符。如今很多人名籍在軍隊而本人卻在家中。軍中沒有他這個人，而家中又沒有他的名籍。聚集士卒組成軍隊，衹有空頭名籍卻沒有實際兵員，對外不足以抵禦敵人，對內不足以守衛國家。這就是軍隊兵員得不到補給，將領威信被削弱的原因所在。

原文 臣以謂卒逃歸者，同舍伍人及吏罰入糧為饒，名為軍實。是有一軍之名，而有二實之出。國內空虛，自竭民歲，曷以免奔北之禍乎！

譯文 臣下認為，士卒逃回家中，與他同宿的伍人及其將吏應繳納軍糧，充實倉庫，名義上稱為軍實。這樣，軍隊便有了一個空缺的名額，而百姓卻有

兩份實際的支出。國內空虛，百姓收入枯竭，又怎能避免軍隊潰敗之禍呢！

原文 今以法止逃歸，禁亡軍，是兵之一勝也；什伍相聯，及戰鬥則卒吏相救，是兵之二勝也；將能立威，卒能節制，號令明信，攻守皆得，是兵之三勝也。

譯文 如今，以法令禁止士卒逃跑回家，杜絕士卒擅自脫離軍隊的現象，是用兵取勝的第一個條件；同什同伍相互聯保，到了戰鬥的時候官兵就能相互救援，這是用兵取勝的第二個條件；將領樹立威信，士卒遵守制度，號令明確有信，攻守都能達到預期目標，這是用兵取勝的第三個條件。

原文 臣聞古之善用兵者，能殺卒之半，其次殺其十三，其下殺其十一。能殺其半者，威加海內；殺十三者，力加諸侯；殺十一者，令行士卒。

譯文 臣下聽說，古代善於用兵的將領，能使半數士卒拚死作戰；次一等的將領，能使十分之三的士卒拚死作戰；最下一等的將領，能使十分之一的士卒拚死作戰。能使半數士卒拚死作戰的，其威勢可以施加於天下；能使十分之三的士卒拚死作戰的，其武力足以攻伐諸侯；能使十分之一的士卒拚死作戰的，其命令可以通行軍中。

原文 故曰：百萬之衆不用命，不如萬人之鬥也；萬人之鬥不用命，不如百人之奮也。賞如日月，信如四時，令如斧鉞，利如干將，士卒不用命者，未之有也。

譯文 所以說：百萬大軍如果不聽命效力，還不如萬人搏鬥；萬人搏鬥而不聽命效力，還不如百人奮勇拚殺。獎賞像日月一樣鮮明，信用像四季交替那樣確定無疑，法令像斧鉞那樣嚴峻，兵器像干將劍一樣鋒利，而士卒還是不聽命效力，這種情況從來就沒有過。

黄石公三略

[西汉] 黄石公 著

綜述

《黃石公三略》，是中國古代的一部著名兵書。《黃石公三略》與其他兵書不同，側重於從政治策略層面闡釋治國用兵的道理。在這本書中，糅合了各家的思想，是一本專門論述戰略的兵書。相傳作者爲漢初隱士黃石公。因《黃石公三略》的《中略》中有這樣的話：「是故《三略》爲衰世作。」故此《三略》成書的時間，可以定爲西漢末年王莽篡漢期間。

《黃石公三略》分爲《上略》、《中略》、《下略》三部分。其中《上略》是全書的主要內容，佔了全書一半以上的字數，這部分強調了民本、軍本的思想。《中略》與《上略》都強調以人爲本、以德服人，衹是要根據每個人不同的特點而加以利用。《下略》強調道德對國家的重要性，並提出爲君者治理國家要遵從道，衹有道與德彼此統一，爲君者纔能天下無敵。

自從《黃石公三略》問世以來，受到廣泛的重視。在光武帝的詔書中就引用《黃石公三略》的內容。東漢末年陳琳在《武軍賦》中就已經把《黃石公三略》和《孫子》、《吳子》、《六韜》相提並論。唐朝初年，魏徵將《黃石公三略》內容納入到《群書治要》。宋代元豐年間，《黃石公三略》被列爲「武經」之一，從此《黃石公三略》取得了兵學經典的地位。

上略

原文

夫主將之法，務攬英雄之心，賞祿有功，通志於衆。故與衆同好靡不成，與衆同惡靡不傾。治國安家，得人也；亡國破家，失人也。含氣之類，咸願得其志。

譯文

軍中主將的方法，是務必要籠絡英雄豪傑的心，將爵祿賞賜給有功之人，向部衆傳達自己的意志。所以，與部衆有相同的喜好，就沒有做不成的事；與部衆有相同的憎惡對象，就沒有不能擊潰的敵人。國家大治，家庭安定，是因爲取得人心；國家滅亡，家庭破敗，是因爲失去人心。但凡是人，都願意實現自己心中的願望。

原文 《軍讖》曰：「柔能制剛，弱能制強。」柔者德也，剛者賊也。弱者人之所助，強者怨之所攻。柔有所設，剛有所施，弱有所用，強有所加。兼此四者而制其宜。

譯文 《軍讖》中說：「柔的事物能夠制服剛的事物，弱的事物能夠制服強的事物。」柔，是一種美德；剛，則是一種禍患。弱小的一方，容易得到人們的幫助；強硬的一方，卻容易受到怨恨和攻擊。柔有柔的用處，剛有剛的用處，弱有弱的用處，強有強的用處。應當將這四者結合起來，根據實際情況合理運用。

原文 端末未見，人莫能知。天地神明，與物推移，變動無常。因敵轉化，不爲事先，動而輒隨。故能圖制無疆，扶成天威，匡正八極，密定九夷。如此謀者，爲帝王師。

譯文 事情的始末沒有顯露出來，人們就無法瞭解。天地自然神奇莫測，隨著各種事物的推移而變化無常。根據敵情轉變策略，不要事先確定作戰計劃，而要根據敵人的動向採取相應的對策。祇有這樣，纔能圖謀制勝而無所羈絆，進而輔助天子樹立權威，匡正天下，安定四方。能有如此謀略的人，就可以成爲帝王的老師。

原文 故曰：莫不貪強，鮮能守微，若能守微，乃保其生。聖人存之，動應事機，舒之彌四海，捲之不盈懷，居之不以室宅，守之不以城郭，藏之胸臆，而敵國服。

譯文 所以說：沒有人不貪求強大，卻很少有人能夠持守「柔的事物能夠制服剛的事物，弱的事物能夠制服強的事物」這一微妙道理。如果能夠持守這一微妙道理，就可以保住生命。君主掌握此道，行動就能順應事物的變化。將此道理推行開來，可以遍佈四海；將此道理收藏起來，不會充滿整個襟懷。安置此道不需要屋宅，守衛此道不需要城郭。祇要將其藏於心中，就可以使

敵國屈服。

原文 《軍讖》曰：「能柔能剛，其國彌光；能弱能強，其國彌彰。純柔純弱，其國必削；純剛純強，其國必亡。」

譯文 《軍讖》上說：「既能用柔，又能用剛，國家的前途就會更加光明；既能用弱，又能用強，國家就會更加顯赫。單純用柔、用弱，國家的實力必然會被削弱；單純用剛、用強，國家必定滅亡。」

原文 夫爲國之道，恃賢與民。信賢如腹心，使民如四肢，則策無遺。所適如支體相隨，骨節相救，天道自然，其巧無間。

譯文 治理國家的方法，在於依靠賢人與民衆。信任賢人如同信任自己的心腹，使用民衆如同使用自己的四肢，這樣國家的政策就不會有缺失。行動起來就如同肢體一樣緊密相隨，像骨節一樣相互照應。這就是自然界的規律，工巧微妙，天衣無縫。

唐太宗李世民

唐太宗李世民不僅善於納諫，還廣泛任用賢人，所以國家大治，開創了中國歷史上著名的貞觀之治，爲大唐盛世奠定基礎。

讒佞者則傾而覆之，敵毀辱我者則令人沒之。有不當沒者，姑忍之以伺其便耳。反逆者則廢滅其身與家。上言「叛者還之」，是謀背本國而往他國者，若能還之，古人猶赦之也。此言反者廢之，是反逆不道、謀危社稷者，故當廢而滅之也。暴橫者則挫其威，使不復橫也。

原文

軍國之要，察衆心，施百務。危者安之，懼者歡之，叛者還之，冤者原之，訴者察之，卑者貴之，強者抑之，敵者殘之，貪者豐之，欲者使之，畏者隱之，謀者近之，讒者覆之，毀者復之，反者廢之，橫者挫之，滿者損之，歸者招之，服者居之，降者脫之。

譯文

治軍治國的要義在於體察民衆的心理，並以此來採取各種妥善措施。對於處境危險者，要使其平安無事；對於內心恐懼者，要使其歡愉；對於叛逃者，應將其召還；對於含冤者，要替他平反昭雪；對於申訴者，要調查實情；對於身份卑微者，要使他高貴；對於強橫者，要加以抑制；對於與我爲敵者，要將其摧毀；對於貪婪者，要用財貨使其豐厚；對於願意效勞者，要加以使用；對於怕被人揭短者，要隱諱其短處；對於善於謀劃者，要與之親近；對於愛進讒言者，要廢置不用；對於詆毀他人者，要核查其言語的真僞；對於謀反者，要將其消滅；對於蠻橫凶暴者，要將其挫敗；對於驕傲自滿者，要予以抑制；對於真心歸附者，要予以招納；對於被征服者，要予以安置；對於投降者，要予以寬大處理。

原文

獲固守之，獲厄塞之，獲難屯之，獲城割之，獲地裂之，獲財散之。

譯文

攻取堅固之地，要注意防守；攻取險隘之地，要派兵加以阻塞；攻取難攻之地，要屯兵駐守；奪取城邑，要分封給有功之臣；奪取土地，要分賞給有功將士；奪取財貨，要散發給衆人。

原文

敵動伺之，敵近備之，敵強下之，敵佚去之，敵陵待之，敵暴綏之，敵悖義之，敵睦攜之，順舉挫之，因勢破之，放言過之，四綱羅之。

譯文

當敵人行動時，要對其進行監視；當敵人逼近時，要對其嚴加防

範；當敵人強大時，要故意向其示弱；當敵人安逸時，要注意避其鋒芒；當敵人盛氣淩人時，要等待他銳氣消退；當敵人橫暴時，要安撫民衆；當敵人做出悖逆之舉，要以正義之名來聲討他；當敵人團結和睦時，要對其進行分化、離間。要順應敵人的行動來挫敗他，因勢利導來擊破他，散佈虛假消息使其犯錯，四面設網對其進行圍剿。

【原文】得而勿有，居而勿守，拔而勿久，立而勿取，爲者則己，有者則士，焉知利之所在！彼爲諸侯，己爲天子，使城自保，令士自取。

【譯文】取得勝利，不要將功勞歸於自己；獲得財富，不要自己獨佔；攻取城池，不要曠日持久；擁立他國之人爲君，不要自己取而代之。決策出於自己，功勞則要歸於將士，哪裏知道利益正在於此！讓他人做諸侯，自己做天子。讓他們保衛各自的城邑，讓官吏們徵收各轄區的賦稅。

【原文】世能祖祖，鮮能下下。祖祖爲親，下下爲君。下下者，務耕桑不奪其時，薄賦斂不匱其財，罕徭役不使其勞，則國富而家娛，然後選士以司牧之。夫所謂士者，英雄也。故曰：羅其英雄，則敵國窮。英雄者，國之幹；庶民者，國之本。得其幹，收其本，則政行而無怨。

【譯文】世上的君主都能夠尊敬自己的祖先，卻很少有人能夠愛護下層民衆。尊敬祖先祇是對親人盡了孝道，愛護下層民衆纔是爲君之道。愛護自己百姓的君主，能夠使百姓致力於農耕、蠶桑而不耽誤農時，能夠減少賦稅而不使百姓財產匱竭，能夠減少徭役而不使百姓勞苦，這樣國家就會富裕，家庭就會和悅，然後再選派賢士治理他們。所謂的賢士，指的是那些英雄豪傑。所以說：把敵國的英雄網羅過來，敵國就會困窘。英雄豪傑，是國家的骨幹；普通民衆，是國家的根本。得到骨幹，獲取根本，這樣政令就可以施行，民衆

也不會有怨言。

原文 夫用兵之要，在崇禮而重祿。禮崇則智士至，祿重則義士輕死。故祿賢不愛財，賞功不踰時，則下力並而敵國削。夫用人之道，尊以爵，贍以財，則士自來；接以禮，勵以義，則士死之。

譯文 用兵的要義，在於推崇禮義、加重俸祿。推崇禮義，有智之士就會到來；加重俸祿，義士就會視死如歸。所以，向賢人賞賜俸祿，不要吝惜錢財；獎賞有功之人，不要超過期限。這樣，下屬就會同心協力，敵國的力量也會因此而受到削弱。用人的方法，是用爵位來尊重他，用財貨來贍養他，這樣賢士就會自動到來；用禮儀來接待他，用正義來激勵他，這樣賢士就會甘願爲主人賣命。

原文 夫將帥者，必與士卒同滋味而共安危，敵乃可加。故兵

有全勝，敵有全囚。昔者良將之用兵，有饋簞醪者，使投諸河，與士卒同流而飲。夫一簞之醪不能味一河之水，而三軍之士思爲致死者，以滋味之及己也。

譯文 身爲將帥，一定要與士卒同享滋味，共渡安危，這樣就可以對敵人發起進攻。這樣，用兵纔有可能取得全面的勝利，敵人纔有可能全部被俘。從前，有一位良將在用兵作戰的時候，有人送給他一簞醇酒，他便命人將酒倒入河中，然後與士卒共同飲用這河中之水。一簞酒並不能使一條河的水產生酒味，但是三軍將士卻願意爲將領拚死作戰，這是因爲將領能夠與士卒同甘共苦的緣故。

原文 《軍讖》曰：「軍井未達，將不言渴；軍幕未辦，將不言倦；軍竈未炊，將不言飢。冬不服裘，夏不操扇，雨不張蓋，是謂將禮。」與之安，與之危，故其衆可合而不可離，可用而不

《軍讖》有曰：將帥之所以爲威者，號令之嚴也。戰鬥之所以全勝者，軍政之明也。士卒之所以輕戰者，用將之命也。故將無還反之令，罰欲必而賞欲信也。如天之春、夏、秋、冬，不失其期；如地之生、長、收、藏，不失其時；乃可以使人。士卒聽用將命，乃可以越人之境。

可疲，以其恩素蓄，謀素和也。故曰：蓄恩不倦，以一取萬。

譯文 《軍讖》中說：「軍井沒有挖好，將領就不能說口渴；營帳沒有搭好，將領就不能說疲倦；軍灶沒有做好飯，將領就不能說飢餓。冬天不穿皮衣，夏天不扇扇子，雨天不張設傘蓋，這就是將帥所應遵守的禮儀。」能與士卒同享安樂，共擔危難，所以部衆纔能夠緊密團結而不離散，可以使用而不疲憊，這是因爲將領的恩德平時就在積蓄，將領的意志平時就與士卒相合的緣故。所以說：平時不斷地向士卒施以恩惠，這樣就會贏得成千上萬名士卒的擁戴。

原文 《軍讖》曰：「將之所以爲威者，號令也；戰之所以全勝者，軍政也；士之所以輕戰者，用命也。」故將無還令，賞罰必信，如天如地，乃可御人。士卒用命，乃可越境。

譯文 《軍讖》中說：「將領之所以有威嚴，是因爲他掌握著發號施令的大權；作戰之所以能夠取得全面勝利，是因爲軍隊管理嚴整有序；士卒之所以勇於作戰，是因爲服從命令。」所以，將領不能有收回的命令，賞罰一定要守信，就像天地運行那樣不差毫厘，這樣纔能駕馭衆人。士卒服從命令，纔可以越境作戰。

原文 夫統軍持勢者，將也；制勝破敵者，衆也。故亂將不可使保軍，乖衆不可使伐人。攻城則不拔，圖邑則不廢。二者無功，則士力疲弊。士力疲弊，則將孤衆悖，以守則不固，以戰則奔北，是謂老兵。兵老則將威不行，將無威則士卒輕刑，士卒輕刑則軍失伍，軍失伍則士卒逃亡，士卒逃亡則敵乘利，敵乘利則軍必喪。

譯文 負責統率軍隊、把握形勢的是將領；負責爭取勝利、擊敗敵人的是士卒。所以，治軍無方的將領，不可以讓他統領軍隊；不服從命令的士卒，不可以用來討伐敵人。像這樣的軍隊，攻打城池，無法將其攻剋；圖謀城邑，無

法將其摧毀。攻城、奪邑都徒勞無功，士卒就會疲憊。士卒疲憊，就會出現將領受到孤立、兵衆不聽從命令的局面。如果使用這樣的軍隊，防守必定不會堅固，作戰必定會敗逃，這就稱爲久戰疲憊之軍。軍隊久戰疲憊，將領的威嚴就不能發揮作用；將領失去威嚴，士卒就會輕視刑罰；士卒輕視刑罰，軍隊就會混亂；軍隊混亂，士卒就會逃亡；士卒逃亡，敵人就會乘機取利；敵人乘機取利，軍隊就必然走向敗亡。

原文 《軍讖》曰：「良將之統軍也，恕己而治人。推惠施恩，士力日新，戰如風發，攻如河決。」故其衆可望而不可當，可下而不可勝。以身先人，故其兵爲天下雄。

譯文 《軍讖》中說：「良將統率軍隊，會像愛護自己一樣愛護士卒。推行恩惠，廣施恩德，士卒的力量就會日漸增強。這樣的軍隊，投入戰鬥就會像狂風一樣迅疾，攻擊敵人就會像大河決堤一樣勢不可擋。」所以，面對這樣的

屈尊勞將

漢大將周亞夫治軍嚴整，漢文帝前去勞軍，被守軍告誡即使皇帝到了也要遵守軍規。將帥的威信如此，這樣的軍隊誰能抵擋？

軍隊，祇能遠遠觀望而不能抵擋，祇能向其投降而不能將其戰勝。將領若能身先士卒，那麼他所率領的軍隊就能稱雄於天下。

原文 **《軍讖》曰：「軍以賞爲表，以罰爲裏。」賞罰明，則將威行；官人得，則士卒服；所任賢，則敵國震。**

譯文 《軍讖》中說：「治軍以獎賞爲表，以懲罰爲裏。」賞罰嚴明，將領的威嚴就會樹立起來；用人得當，士卒就會信服；所任用的人才賢能通達，敵國就會受到震動。

原文 **《軍讖》曰：「賢者所適，其前無敵。」故士可下而不可驕，將可樂而不可憂，謀可深而不可疑。士驕則下不順，將憂則內外不相信，謀疑則敵國奮。以此攻伐，則致亂。夫將者，國之命也。將能制勝，則國家安定。**

譯文 《軍讖》中說：「賢人所前往的國家，一定所向無敵。」所以，對待士人可以謙下而不可驕傲，對待將領可以使其愉悅而不可使其有所隱憂，對於計謀可以深思熟慮但不可猶疑不決。對士人驕傲，下屬就不會順服；將領心有隱憂，國君和將領之間就會互不信任；對於計謀採取遲疑的態度，敵國就會奮起進擊。在這種情況下攻伐敵人，勢必會招致禍亂。將帥，維繫著國家的命脈。將帥能夠剋敵制勝，國家纔會安定。

原文 **《軍讖》曰：「將能清，能靜，能平，能整，能受諫，能聽訟，能納人，能採言，能知國俗，能圖山川，能表險難，能制軍權。」故曰：仁賢之智，聖明之慮，負薪之言，廊廟之語，興衰之事，將所宜聞。**

譯文 《軍讖》中說：「身爲將領，應該能夠清廉，能夠冷靜，能夠公平，能夠嚴整，能夠接受勸諫，能夠裁決爭訟，能夠容納人才，能夠採納建議，能夠瞭解國家的風俗，能夠對山川形勢瞭如指掌，能夠明察地形險阻，能夠掌

控軍隊權柄。」所以說：仁者、賢士的智慧，聖明之人的謀慮，下層民眾的言論，朝廷之中的商議，國家興亡的歷史教訓，這些都是將領應該瞭解的。

【原文】將者能思士如渴，則策從焉。夫將拒諫，則英雄散；策不從，則謀士叛；善惡同，則功臣倦；專己，則下歸咎；自伐，則下少功；信讒，則衆離心；貪財，則奸不禁；內顧，則士卒淫。將有一，則衆不服；有二，則軍無式；有三，則下奔北；有四，則禍及國。

【譯文】將領如果能夠求賢若渴，那麼賢士的策略也會被採納。如果將領拒絕納諫，那麼英雄豪傑也會離散；如果策略沒有得到採納，那麼謀士就會叛離；如果將領善惡不分，那麼功臣就會消極怠慢；如果將領獨斷專行，那麼下屬就會歸咎於他；如果將領自我誇耀，那麼下屬就不願建立功勛；如果將領聽信讒言，那麼衆人就會與他離心離德；如果將領貪圖財貨，那麼奸邪之事就無從禁止；如果將領迷戀家中的妻子，那麼士卒就會淫亂無度。上述錯誤，將領如果佔據一項，衆人就不會信服他；佔據兩項，軍隊就會失去紀律的約束；佔據三項，士卒就會潰敗逃散；佔據四項，禍患就會危及國家。

【原文】《軍讖》曰：「將謀欲密，士衆欲一，攻敵欲疾。」將謀密，則奸心閉；士衆一，則軍心結；攻敵疾，則備不及設。軍有此三者，則計不奪。將謀泄，則軍無勢；外窺內，則禍不制；財入營，則衆奸會。將有此三者，軍必敗。

【譯文】《軍讖》中說：「將領的謀劃要隱秘，士卒要團結一致，攻擊敵人要力求迅疾。」將領謀劃隱秘，那麼敵軍奸細打探我軍情況的想法就不能得逞；士卒團結一致，那麼軍隊就會同心同德；攻擊敵人迅疾而猛烈，敵人就來不及防範。軍隊有了這三個條件，計劃就不會受到挫折。將領如果泄露機密，軍隊就會失去威勢；外敵窺視我軍內部情況，災禍就無法遏制；賄賂的

《軍讖》有曰：軍中無財，則士卒不來。軍中無賞，則士卒不往。上言財入營，則衆奸會，乃為將貪求私取之財也。此言軍無財，士不來，乃為國積聚公用之財也。

錢財進入軍營，各種奸邪之事就會紛至沓來。將領如果犯下這三種錯誤，軍隊必敗無疑。

原文 將無慮，則謀士去；將無勇，則吏士恐；將妄動，則軍不重；將遷怒，則一軍懼。《軍讖》曰：「慮也，勇也，將之所重；動也，怒也，將之所用。」此四者，將之明誡也。

譯文 將領不深謀遠慮，謀士就會離去；將領不勇敢，官兵就會惶恐不安；將領輕舉妄動，軍隊就不會沉穩持重；將領遷怒於人，全軍將士都會恐懼。《軍讖》中說：「深謀遠慮，勇猛頑強，是將領所應具備的重要品質；當動則動，當怒則怒，是將領所應掌握的用兵之道。」這四點，是將領應該明確告誡自己的。

原文 《軍讖》曰：「軍無財，士不來；軍無賞，士不往。」《軍讖》曰：「香餌之下，必有懸魚；重賞之下，必有死夫。」故禮者，士之所歸；賞者，士之所死。招其所歸，示其所死，則所求者至。故禮而後悔者，士不止；賞而後悔者，士不使。禮賞不倦，則士爭死。

譯文 《軍讖》中說：「軍隊沒有錢財，士人就不會前來投奔；軍隊沒有獎賞，士人就不會勇往直前。」《軍讖》又說：「在美味魚餌的引誘下，必定有上鉤的魚兒；在重賞的引誘下，必定有敢於效死的勇士。」所以，以禮待人，是士人歸附的原因；頒發獎賞，是士人效死的原因。用禮儀招引士人歸附，用獎賞誘使士人效死，這樣，軍隊所需要的人才就會自動前來。所以，如果將領先對士人以禮相待，後來又反悔，那麼士人就不會被留住；如果將領先對士人施以重賞，後來又反悔，那麼士人就不會聽從驅使。如果不斷地用禮儀和獎賞來對待士人，那麼士人就會爭相以死相報。

原文 《軍讖》曰：「興師之國，務先隆恩；攻取之國，務先

養民。」以寡勝衆者，恩也；以弱勝強者，民也。故良將之養士，不易於身，故能使三軍如一心，則其勝可全。

【譯文】《軍讖》中說：「準備與兵作戰的國家，一定要先廣施恩澤；準備攻打敵國的國家，一定要先蓄養百姓。」以少勝多，是因爲廣施恩澤；以弱勝強，是因爲有百姓的支持。所以，良將愛護手下的士卒，就像愛護自己的身體一樣，所以能夠使三軍將士同心同德，從而取得全面的勝利。

【原文】《軍讖》曰：「用兵之要，必先察敵情。視其倉庫，度其糧食，卜其強弱，察其天地，伺其空隙。」故國無軍旅之難而運糧者，虛也；民菜色者，窮也。千里饋糧，民有飢色；樵蘇後爨，師不宿飽。夫運糧千里，無一年之食；二千里，無二年之食；三千里，無三年之食，是謂國虛。國虛則民貧，民貧則上下不親。敵攻其外，民盜其內，是謂必潰。

【譯文】《軍讖》中說：「用兵的要義在於，一定要事先洞察敵情。觀察敵軍的倉庫，估算庫存的糧食，估計軍隊實力的強弱，觀察天時地利，尋找其漏洞。」所以，國家沒有遭受戰爭的苦難卻忙於運輸糧食，一定是因爲內部空虛；百姓面有菜色，是因爲國窮民困。不遠千里運輸糧食，百姓就會面黃肌瘦；臨時打柴割草，再燒火做飯，軍隊就會經常喫不飽。從千里之外運糧，說明國家缺少一年的糧食；從兩千里之外運糧，說明國家缺少兩年的糧食；從三千里之外運糧，說明國家缺少三年的糧食。這些情況，正是國力空虛的表現。國力空虛，百姓就會貧困；百姓貧困，君民之間就不會和睦。敵人從外面進攻，百姓在內部作亂，這意味著國家勢必崩潰。

【原文】《軍讖》曰：「上行虐則下急刻。賦斂重數，刑罰無極，民相殘賊。是謂亡國。」

【譯文】《軍讖》中說：「君主做出暴虐之事，下級官吏就會急躁苛刻。賦

稅繁重，各種刑罰濫用不止，百姓就會相互殘害。這就是所謂的亡國之兆。」

原文 《軍讖》曰：「內貪外廉，詐譽取名；竊公爲恩，令上下昏；飾躬正顏，以獲高官。是謂盜端。」

譯文 《軍讖》中說：「內心貪婪而外表清廉，以欺騙的手段取得美名；竊取公家的財物樹立自己的恩德，使君臣上下昏聵不明；僞裝自己，假作正派，以獲取高官。這就是所謂禍亂的源頭。」

原文 《軍讖》曰：「群吏朋黨，各進所親；招舉奸枉，抑挫仁賢；背公立私，同位相訕。是謂亂源。」

譯文 《軍讖》中說：「官吏結黨營私，紛紛引進自己的親信；招納奸邪之人，打壓仁者、賢士；背棄公理而牟取私利，同僚之間相互誹謗。這就是所謂的禍亂之源。」

原文 《軍讖》曰：「強宗聚奸，無位而尊，威無不震。葛藟相連，種德立恩，奪在位權。侵侮下民，國內嘩喧，臣蔽不言。是謂亂根。」

譯文 《軍讖》中說：「豪門大族結黨營私，相聚爲奸，沒有官位卻妄自尊大，其威勢無人不懼。他們之間的關係如同藤蔓一樣盤根錯節，不斷樹立個人恩德之名，企圖侵奪君權。他們還欺凌下層百姓，致使國內怨聲載道，而群臣卻隱瞞事情，不敢直言。這就是所謂的禍亂之根。」

原文 《軍讖》曰：「世世作奸，侵盜縣官，進退求便，委曲弄文，以危其君。是謂國奸。」

譯文 《軍讖》中說：「世世代代作奸犯科，侵害朝中官吏；無論前進後退都祇爲自己謀求便利；詭辯矯飾，舞文弄墨，以此來危害國君。這就是所謂的國家奸臣。」

原文 《軍讖》曰：「吏多民寡，尊卑相若，強弱相虜，莫適

禁禦，延及君子，國受其咎。」

譯文 《軍讖》中說：「官多民少，沒有尊卑之分，以強淩弱，無從禁止，禍患危及君子，國家也將遭受危害。」

原文 《軍讖》曰：「善善不進，惡惡不退，賢者隱蔽，不肖在位，國受其害。」

譯文 《軍讖》中說：「稱讚好人卻不加以任用，厭惡惡人卻不將其貶退，賢者隱居，無德無才者在位當權，國家必定深受其害。」

原文 《軍讖》曰：「枝葉強大，比周居勢，卑賤陵貴，久而益大，上不忍廢，國受其敗。」

譯文 《軍讖》中說：「藩輔勢力強大，結黨營私，佔據高位，欺下犯上，時間越久勢力就越大，而國君又不忍心將其廢除，這樣國家必定會遭到敗壞。」

原文 《軍讖》曰：「佞臣在上，一軍皆訟。引威自與，動違於衆。無進無退，苟然取容。專任自己，舉措伐功。誹謗盛德，誣述庸庸。無善無惡，皆與己同。稽留行事，命令不通。造作奇政，變古易常。君用佞人，必受禍殃。」

譯文 《軍讖》中說：「諂媚取寵之人當權，全軍上下都會對其加以指控。他們依仗權勢自我誇耀，一舉一動都與衆人的意志相違背。他們做事沒有原則，只會苟且諂媚，取悅於君主。他們專橫跋扈，剛愎自用，一舉一動都要誇耀自己的功勞。他們誹謗具有高尚品德之人，誣衊其爲平庸之人。他們善惡不分，只求他人與自己意見相同。他們積壓政務，使命令無法傳達。他們還標新立異，制定不合常理的政令，改變古制、常法。君主如果任用這樣的奸佞小人，必定會遭受禍殃。」

原文 《軍讖》曰：「奸雄相稱，障蔽主明；毀譽並興，壅塞

伍子胥

伍子胥，本爲楚國人。因父親伍奢勸諫楚平王，招致滅門之災，父親、兄長都被殺害。所謂忠言逆耳，能敢於直諫的忠臣大多被殘忍殺害。

主聰。各阿所私，令主失忠。」

譯文　《軍讖》中說：「奸人相互稱讚，遮蔽君主的眼睛；詆毀和讚譽同時出現，堵塞了君主的耳朵。奸人袒護各自的親信，使君主失去了忠臣的輔佐。」

原文　**故主察異言，乃睹其萌；主聘儒賢，奸雄乃遁；主任舊齒，萬事乃理；主聘岩穴，士乃得實；謀及負薪，功乃可述；不失人心，德乃洋溢。**

譯文　所以，君主明察顛倒是非之言，就可以看到禍亂的萌芽；君主聘用儒士賢才，奸佞之人就會逃遁；君主任用故舊老臣，繁雜的事務就可以處理得井井有條；君主聘用深山裏的隱士，就可以得到有真才實學的賢士；君主在謀劃政事時能夠傾聽下層民衆的意見，其功績就可以載入史冊；君主不失去人心，他的德行就可以傳佈四方。

中略

原文 夫三皇無言而化流四海，故天下無所歸功。

譯文 上古時期的三皇不用言語，其教化卻能流佈四海，所以天下人都不知道這功勞應該歸於誰。

原文 帝者，體天則地，有言有令，而天下太平。君臣讓功，四海化行，百姓不知其所以然。故使臣不待禮賞有功，美而無害。

譯文 上古時期的「五帝」取法天地，設立教化，施行政令，而使天下太平無事。君臣之間相互推讓功勞，四海之内教化得以推行，百姓不知道爲什麼會這樣。所以，使用臣下而不需要憑藉禮法獎賞其功勞，就可以使君臣的關係和諧無間。

原文 王者，制人以道，降心服志，設矩備衰，四海會同，王職不廢，雖有甲兵之備，而無鬥戰之患。君無疑於臣，臣無疑於主，國定主安，臣以義退，亦能美而無害。

譯文 夏、商、周三代的開國君主，用道德來治理民衆，取得人心，並設立法度以防衰敗。那時候，四方諸侯都來朝見天子，天子的職權沒有廢弛。儘管有軍事方面的準備，卻沒有戰爭的禍患。君主不懷疑臣子，臣子不懷疑君主。國家安定而君主平安，臣子便功成身退，君臣之間依然能夠和諧無間。

原文 霸者，制士以權，結士以信，使士以賞。信衰則士疏，賞虧則士不用命。

譯文 春秋時期的「五霸」，用權術來駕馭士人，用信義來結交士人，用獎賞來役使士人。信義一旦衰微，士人就會與之疏遠；獎賞一旦減少，士人就不會效命。

原文 《軍勢》曰：「出軍行師，將在自專。進退內御，則功

難成。」

譯文 《軍勢》中說：「率領軍隊外出作戰，將領要有獨立決斷的權力。如果前進後退都受制於君主，那麼將領就難以取得戰功。」

原文 《軍勢》曰：「使智，使勇，使貪，使愚：智者樂立其功，勇者好行其志，貪者邀趨其利，愚者不顧其死。因其至情而用之，此軍之微權也。」

譯文 《軍勢》中說：「使用智者，使用勇者，使用貪婪者，使用愚笨者，其方法各不相同：智者喜歡建立自己的功業，勇者喜歡實現自己的志向，貪婪者極力追求利益，愚笨者不顧自己的性命。根據他們各自的情況加以使用，這就是軍中用人的微妙權術。」

原文 《軍勢》曰：「無使辯士談說敵美，爲其惑衆；無使仁者主財，爲其多施而附於下。」

譯文 《軍勢》中說：「不要讓能言善辯的人談論敵人的長處，因爲這樣會惑亂軍心；不要讓仁厚之人管理財務，因爲他會過多地施捨錢財而附和下屬。」

原文 《軍勢》曰：「禁巫祝，不得爲吏士卜問軍之吉凶。」

譯文 《軍勢》中說：「禁止巫祝的活動，不得爲將士卜問軍事的吉凶禍福。」

原文 《軍勢》曰：「使義士不以財。故義者不爲不仁者死，智者不爲暗主謀。」

譯文 《軍勢》中說：「役使有節操的義士，不能依靠財貨。因爲，義士不爲不仁義的人效命，智者不爲愚昧昏庸的君主出謀劃策。」

原文 主不可以無德，無德則臣叛；不可以無威，無威則失權。臣不可以無德，無德則無以事君；不可以無威，無威則國

弱，威多則身蹶。

【譯文】君主不可以没有道德，如果没有道德，臣下就會反叛；君主不可以没有威勢，如果没有威勢，就會失去大權。臣下不可以没有道德，如果没有道德，就不足以侍奉君主。臣下不可以没有威勢，如果没有威勢，國家就會衰落；但如果威勢過頭，自身就會敗亡。

【原文】**故聖王御世，觀盛衰，度得失，而爲之制。故諸侯二師，方伯三師，天子六師。世亂則叛逆生，王澤竭則盟誓相誅伐。德同勢敵，無以相傾，乃攬英雄之心，與衆同好惡，然後加之以權變。故非計策無以決嫌定疑，非譎奇無以破奸息寇，非陰謀無以成功。**

【譯文】所以，聖明的君王治理天下，要觀察世事的盛衰，揣度執政的得失，從而設立制度。所以，諸侯擁有二軍，方伯擁有三軍，天子擁有六軍。世道混亂，就會出現叛逆之事；天子的恩澤枯竭，各國諸侯就會結盟發誓，相互誅伐。敵對雙方文德相同，軍事上勢均力敵，都無法擊潰對方，於是收攬英雄豪傑之心，並與衆人保持相同的好惡，然後再使用權謀之術。所以，不使用計策，就無法決斷嫌疑之事；不使用詭詐多變的手段，就無法打擊奸人，消滅敵寇；不施展密謀，就無法取得成功。

【原文】**聖人體天，賢者法地，智者師古。是故《三略》爲衰世作。《上略》設禮賞，别奸雄，著成敗。《中略》差德行，審權變。《下略》陳道德，察安危，明賊賢之咎。故人主深曉《上略》，則能任賢擒敵；深曉《中略》，則能御將統衆；深曉《下略》，則能明盛衰之源，審治國之紀。人臣深曉《中略》，則能全功保身。**

【譯文】聖人尊奉天道，賢人做法地道，智者以古爲師。所以，《三略》是針

封之於朝，使極人臣之位，以彰顯其功。與之中州善國，使納貢賦以富其家。賜之美女珍玩，以娛悅其心。此漢光武、宋太祖保全功臣之術，非上古聖帝明王所以保全功臣之道。

對衰落的世道而作的。《上略》的內容是設立禮儀、獎賞，辨別奸雄，彰明成敗之理。《中略》的內容是區分德行的等級，審視權變。《下略》的內容是陳述道德，考察安危，彰明殘害賢人的罪過。所以，君主深通《上略》，就可以任用賢人，擒獲敵軍；深通《中略》，就可以駕馭將帥，統領兵衆；深通《下略》，就可以洞徹世道盛衰的根源，明白治國的原則。臣子深通《中略》，就可以保全功業以及自身性命。

原文

夫高鳥死，良弓藏；敵國滅，謀臣亡。亡者，非喪其身也，謂奪其威，廢其權也。封之於朝，極人臣之位，以顯其功；中州善國，以富其家；美色珍玩，以說其心。

譯文

在空中高飛的鳥死了，優良的弓箭就要被收藏起來；敵國滅亡，謀臣就要被除掉。所謂的除掉，並不是指結束他的生命，而是指削弱他的威勢，廢除他的權力。在朝廷上對他進行封賞，讓他在群臣中處於最高的地位，以彰顯他的功勞；封給他中原地區肥沃富饒的土地，使他家庭富有；賞賜給他美女、珍寶，使他心情愉悅。

原文

夫人衆一合而不可卒離，威權一與而不可卒移。還師罷軍，存亡之階。故弱之以位，奪之以國，是謂霸者之略。故霸者之作，其論駁也。存社稷、羅英雄者，《中略》之勢也。故世主秘焉。

譯文

兵衆一旦聚合，就不能突然解散；軍權一旦授予，就不能突然收回。戰爭結束以後，將領班師回朝，這時正是決定國君生死存亡的關鍵時刻。所以，要用官爵來削弱將帥的勢力，要用封地來奪取他的權力，這就是霸主的策略。所以，霸主的興起，其道理是非常複雜的。保全國家政權，網羅英雄豪傑，都是《中略》所論述的內容。所以，歷代君主都對此秘而不宣。

原文 夫能扶天下之危者，則據天下之安；能除天下之憂者，則享天下之樂；能救天下之禍者，則獲天下之福。故澤及於民，則賢人歸之；澤及昆蟲，則聖人歸之。賢人所歸，則其國強；聖人所歸，則六合同。求賢以德，致聖以道。賢去，則國微；聖去，則國乖。微者危之階，乖者亡之徵。

譯文 能夠匡扶天下於危難之中的人，就能夠擁有天下的安寧；能夠消除天下憂患的人，就能夠享受天下的歡樂；能夠拯救天下於禍亂之中的人，就能夠獲得天下的福祉。所以，恩澤施與萬民，賢人就會前來歸附；恩澤施與萬物，聖人就會前來歸附。賢人前來歸附，國家就會強盛；聖人前來歸附，天下就會統一。尋求賢人要依靠德行，招攬聖人則要躬行正道。賢人離去，國勢就會衰微；聖人離去，國家就會混亂。衰微是通向危險的階梯，混亂是招致敗亡的徵兆。

原文 賢人之政，降人以體；聖人之政，降人以心。體降可以圖始，心降可以保終。降體以禮，降心以樂。所謂樂者，非金石絲竹也，謂人樂其家，謂人樂其族，謂人樂其業，謂人樂其都邑，謂人樂其政令，謂人樂其道德。如此君人者，乃作樂以節之，使不失其和。故有德之君，以樂樂人；無德之君，以樂樂身。樂人者，久而長；樂身者，不久而亡。

譯文 賢人主政，用自身的行動來征服人民；聖人主政，用摯誠之心來感化人民。人民在行動上順服，就可以圖謀創業；人民發自內心地順服，就可以善始善終。使人在行動上順服，要依靠禮教；使人發自內心地順服，要依靠樂教。所謂的樂教，並不是指金石絲竹等樂器，而是指人們熱愛自己的家庭，熱愛自己的宗族，熱愛自己的職業，熱愛自己所居住的都邑，擁護統治者

所發佈的政令，講究道德規範。像這樣治理民眾，就要推行樂教以陶冶性情，使民眾不失和諧。所以，有德之君用音樂來使民眾歡愉，無德之君則用音樂來使自己歡愉。使民眾歡愉，國家就會長治久安；使自己歡愉，國家不久便會滅亡。

原文 釋近謀遠者，勞而無功；釋遠謀近者，佚而有終。佚政多忠臣，勞政多怨民。故曰：務廣地者荒，務廣德者強。能有其有者安，貪人之有者殘。殘滅之政，累世受患。造作過制，雖成必敗。

譯文 捨近求遠的人，勞而無功；捨遠求近的人，安逸而終有成效。施行休養生息的政策，就會出現很多忠臣；施行勞民傷財的政策，就會出現很多心存怨恨的百姓。所以說：力求擴張領土，內政就會荒廢；力求廣施恩德，國家就會強盛。能夠擁有自己應該擁有的東西，就能平平安安；貪圖他人所

言偃

言偃，字子游。擅長文學，曾任武城宰，用禮樂教育士民。所治境內到處有弦歌之聲，為孔子所稱讚。

擁有的東西，就會殘敗。施行殘酷暴虐的政治，世世代代都會遭受禍患。所作所爲超過了限度，即使取得了暫時的成功，最終也必然失敗。

原文 捨己而教人者逆，正己而教人者順。逆者亂之招，順者治之要。

譯文 不加強自身修養而去教育別人，這種做法必然行不通；先端正自己再去教育別人，這樣纔順應常理。違背常理，是招致禍患的原因；順應常理，是安定國家的關鍵所在。

原文 道、德、仁、義、禮，五者一體也。道者，人之所蹈；德者，人之所得；仁者，人之所親。義者，人之所宜；禮者，人之所體。不可無一焉。故夙興夜寐，禮之制也；討賊報仇，義之決也；惻隱之心，仁之發也；得己得人，德之路也；使人均平，不失其所，道之化也。

譯文 道、德、仁、義、禮，這五者是相互聯繫的整體。「道」，是人們所踐行的；「德」，是人們所願意擁有的；「仁」，是人們所願意親近的；「義」，是適合人們去做的；「禮」，是人們應該身體力行的。這五個方面缺一不可。所以，人們從早到晚的活動都要受到「禮」的制約；討賊報仇，是根據「義」作出的決斷；產生惻隱之心，是發於「仁」的本性；使自己和他人都得到滿足，是修行「德」的途徑；使人們均齊平等，各得其所，是「道」的教化。

原文 出君下臣名曰命，施之竹帛名曰令，奉而行之名曰政。夫命失，則令不行；令不行，則政不正；政不正，則道不通；道不通，則邪臣勝；邪臣勝，則主威傷。

譯文 由君主發出旨意，下達到臣子的，稱爲「命」；把旨意書寫在竹簡、絲帛上的，稱爲「令」；遵照命令行事，稱爲「政」。「命」有差錯，「令」就

使怨者治怨人，是謂逆天之理。使仇者治仇人，其禍遂不可救，如秦二世使趙高治李斯之獄是也。治民要使之平均，孔子云「不患寡而患不均」，《詩》云「赫赫師尹，不平謂何」，故治民必欲使之平均也。致民之均平，當清其心而無纖毫私欲之污，則民得其所而天下安寧。

不能執行；「令」不能執行，「政」就會有偏差；「政」出現偏差，治國之道就行不通；治國之道行不通，奸邪之臣就會得逞；奸邪之臣得逞，君主的威勢就會受損。

【原文】千里迎賢，其路遠；致不肖，其路近。是以明王捨近而取遠，故能全功尚人，而下盡力。

【譯文】到千里之外迎接賢人，路途十分遙遠；招引無德無才之人，路途很近。因此，英明的君主捨棄近路而選擇遠途，這樣纔能保全功業，尊崇賢人，臣下也就會盡心盡力了。

【原文】廢一善，則衆善衰；賞一惡，則衆惡歸。善者得其祐，惡者受其誅，則國安而衆善至。

【譯文】廢棄一個好人，衆多好人就會離散；獎賞一個惡人，衆多惡人就會前來歸附。好人得到庇佑，惡人得到懲罰，國家纔能安定，纔會有更多的好人前來。

【原文】衆疑無定國，衆惑無治民。疑定惑還，國乃可安。

【譯文】民衆對統治者心存疑慮，國家就不會安定；民衆困惑，就難以治理。祇有消除疑慮與困惑，國家纔能安定。

【原文】一令逆則百令失，一惡施則百惡結。故善施於順民，惡加於凶民，則令行而無怨。使怨治怨，是謂逆天；使仇治仇，其禍不救。治民使平，致平以清，則民得其所而天下寧。

【譯文】一條法令違背常理，衆多法令都會失去效力；一項惡政施行，就會結下許多惡果。所以對於順服的民衆，要施行仁政；對於凶惡的民衆，要施行苛政。使用民衆所怨恨的政令來治理那些心懷怨恨的民衆，就稱爲違背天理；使用民衆所仇視的政令來治理那些心懷仇恨的民衆，國家的禍患將無可救藥。治理民衆，要使他們貧富均等；要實現貧富均等，首先要政治清明。祇

有這樣，民衆纔能各得其所，從而使天下安寧。

原文　犯上者尊，貪鄙者富，雖有聖王，不能致其治；犯上者誅，貪鄙者拘，則化行而衆惡消。清白之士，不可以爵祿得；節義之士，不可以威刑脅。故明君求賢，必觀其所以而致焉。致清白之士，修其禮；致節義之士，修其道。而後士可致，而名可保。

譯文　冒犯君主者反而尊貴，貪婪卑鄙者反而富有，這樣，即使有聖明的君王，也無法實現天下大治；冒犯君主者受到嚴懲，貪婪卑鄙者受到約束，這樣，教化就能夠得到推行，衆多惡人就會銷聲匿跡。對於清白之人，不能用爵位、俸祿來招攬；對於有節操的人，不能用威勢、刑罰來威脅。所以明君尋求賢人，一定要先觀察他們的志向，然後纔可以招攬。招攬清白之士，要講究禮節；招攬有節操之士，要講究道義。先做到這些，然後賢士就會到來，君主的名聲就可以保全。

原文　夫聖人君子，明盛衰之源，通成敗之端，審治亂之機，知去就之節。雖窮不處亡國之位，雖貧不食亂邦之祿。潛名抱道者，時至而動，則極人臣之位；德合於己，則建殊絕之功。故其道高而名揚於後世。

譯文　那些才德出衆的人，能夠明察世道盛衰的根源，通曉爲政成敗的端倪，審察國家治亂的關鍵，瞭解前進後退的時機。即使窮苦，也不在即將滅亡的國家做官；即使貧困，也不接受混亂之邦的俸祿。隱姓埋名、胸懷治國之道的人，會在時機到來時有所行動，這樣就能位極人臣；遇到德行、志向與自己相同的人，就可以建立卓越的功績。所以，他志向高遠，其美名可以流傳後世。

原文　聖王之用兵，非樂之也，將以誅暴討亂也。夫以義誅不

義，若決江河而溉爝火，臨不測而擠欲墮，其克必矣。所以優遊恬淡而不進者，重傷人物也。夫兵者，不祥之器，天道惡之，不得已而用之，是天道也。夫人之在道，若魚之在水，得水而生，失水而死。故君子者常畏懼而不敢失道。

【譯文】聖明的君王用兵，並不是因爲他好戰，他衹是用戰爭手段來誅殺暴君、討伐叛亂。用正義之舉來討伐不正義的行爲，就好像決開江河以澆滅微小的火苗，就像臨近深不可測的深淵而去推一個搖搖欲墜的人一樣，取勝是必然的。聖明的君王之所以能夠悠然自得而不急於進擊，是因爲擔心過多地傷害人力和物力。戰爭，是不祥之物，爲天道所不容，衹能在不得已的情況下使用，這纔符合天道。人們都生活在天道規律之中，就好像魚生活在水中一樣，有水纔能生存，一旦離開水，就會死亡。所以，君子心中時常懷有敬畏，而不敢偏離正道。

【原文】**豪傑秉職，國威乃弱；殺生在豪傑，國勢乃竭；豪傑低首，國乃可久；殺生在君，國乃可安。四民用虛，國乃無儲；四民用足，國乃安樂。**

【譯文】豪強權臣把持國政，國威就會削弱；生殺大權掌握在權臣手中，國勢就會衰竭；權臣俯首聽命，國運纔能長久；生殺大權掌握在君主手中，國家纔會安定。士、農、工、商用度貧乏，國家就沒有充足的物資儲備；士、農、工、商用度充足，國家纔能安樂。

【原文】**賢臣內，則邪臣外；邪臣內，則賢臣斃。內外失宜，禍亂傳世。**

【譯文】如果賢臣在朝中掌權，那麼奸臣就會被排斥在外；如果奸臣在朝中掌權，那麼賢臣就會被害。內外用人不當，其禍亂就會流傳後世。

【原文】**大臣疑主，衆奸集聚。臣當君尊，上下乃昏；君當臣**

處，上下失序。

【譯文】大臣如果懷疑君主，衆多奸人就會乘機聚集在一起。臣下如果像君主那樣尊貴，君臣上下就會昏聵不明；君主如果處於臣下的地位，君臣上下就會失去應有的秩序。

【原文】傷賢者，殃及三世；蔽賢者，身受其害；嫉賢者，其名不全；進賢者，福流子孫。故君子急於進賢而美名彰焉。

【譯文】傷害賢者的人，其災禍會殃及三代；埋沒賢者的人，自身會遭受災禍；嫉妒賢者的人，名聲就不能保全；引薦賢者的人，其福澤會傳給子孫後代。所以，君子急於引薦賢者，其美名也會因此而彰顯。

【原文】利一害百，民去城郭；利一害萬，國乃思散。去一利百，人乃慕澤；去一利萬，政乃不亂。

【譯文】使一人獲利而損害百人，民衆就會離開城郭；使一人獲利而損害萬人，國內人心就會離散。除掉一人而使百人獲利，人們就會感慕他的恩澤；除掉一人而使萬人獲利，國政就不會混亂。

六韬

綜述

《六韜》也稱爲《太公六韜》、《太公兵法》，爲我國古代的一部著名兵書。舊題爲周朝姜尚所著，一般認爲乃後人依託，作者不可考。如今一般認爲此書的成書年代爲戰國。

全書以太公與文王、武王對話的方式編成，講述了治理國家、治理軍隊以及指導戰爭的理論和原則。全書共六十篇，分爲六卷，《文韜》十二篇，主要論述了治國用人的戰略；《武韜》五篇，闡釋用兵的戰略；《龍韜》十三篇，談論軍事組織；《虎韜》十二篇，談論戰爭環境、武器以及佈陣；《豹韜》八篇，討論戰術；《犬韜》十篇，闡釋軍隊的指揮訓練。

《六韜》是宋代頒定的《武經七書》之一，是先秦兵書中集大成者，不僅兼備文武，而且在政治和軍事理論方面有所開創，同時保存了豐富的古代軍事史料。該書具有重要的理論價值和史料價值。

文韜

文師第一

原文 **文王將田，史編佈卜曰：「田於渭陽，將大得焉。非龍，非彨，非虎，非羆，兆得公侯。天遺汝師，以之佐昌，施及三王。」**

譯文 文王將要外出打獵，史官占卜之後說：「在渭水北岸打獵，將大有收獲。所獲之物不是龍，不是彨，不是虎，也不是羆，根據徵兆判斷，君上將會得到公侯之才。上天把老師贈予君上，輔佐您成就大業，並施惠於後世三代君王。」

原文 **文王曰：「兆致是乎？」**

史編曰：「編之太祖史疇爲禹占，得皋陶，兆比於此。」

譯文 文王問：「卜兆真的是這樣嗎？」

呂尚磻溪垂釣

史編回答：「我的祖上、擔任史官的疇爲禹占卜，卜兆預示將得到皋陶，其徵兆與此類似。」

原文 文王乃齋三日，乘田車，駕田馬，田於渭陽，卒見太公，坐茅以漁。

譯文 文王於是齋戒三天，然後乘坐田車，駕馭田馬，到渭水北岸行獵，終於見到太公正坐在岸邊的茅草上釣魚。

原文 文王勞而問之曰：「子樂漁邪？」太公曰：「臣聞君子樂得其志，小人樂得其事。今吾漁，甚有似也，殆非樂之也。」

譯文 文王走過去慰勞太公，並問道：「您喜歡釣魚嗎？」太公說：「我聽說，君子樂於實現自己的抱負，小人樂於做好自己的工作。如今我在這裏釣魚，情況與此非常相似，而並不是真正喜歡釣魚這件事。」

原文

文王曰：「何謂其有似也？」

太公曰：「釣有三權：祿等以權，死等以權，官等以權。夫釣以求得也，其情深，可以觀大矣。」

譯文

文王問：「爲什麼說您釣魚的情況與此相似呢？」

太公回答：「釣魚有三種權術：用魚餌誘使魚兒上鉤，這就等同於用俸祿招攬人才，這是一種權術；用魚餌誘使魚兒冒死爭食，就等同於用重金收買勇士慷慨赴死，這是一種權術；使釣得的不同類型的魚各盡其用，這就等同於根據人才的能力授予相應的官職，這也是一種權術。釣魚，是爲了得到魚，其道理十分深奧，可以用來參悟更大的事情。」

原文

文王曰：「願聞其情。」

太公曰：「源深而水流，水流而魚生之，情也。根深而木長，木長而實生之，情也。君子情同而親合，親合而事生之，情也。言語應對者，情之飾也；言至情者，事之極也。今臣言至情不諱，君其惡之乎？」

譯文

文王說：「我願意聽一聽其中的詳情。」

太公說：「源頭夠深，水纔能常流不息；水流不息，魚類纔能生存，這是自然之理。根鬚夠深，樹木纔能長成；樹木長成，纔能結出果實，這也是自然之理。君子之間情投意合，就能夠親密無間；親密無間，就能夠成就事業，這同樣是自然之理。言語應答，是感情的表達形式；言語與真情相合，這是表達事理的極致。如今我要談論真情而毫不隱諱，您會反感嗎？」

原文

文王曰：「惟仁人能受至諫，不惡至情，何爲其然？」

太公曰：「緡微餌明，小魚食之；緡調餌香，中魚食之；緡隆餌豐，大魚食之。夫魚食其餌，乃牽於緡；人食其祿，乃服於君。故以餌取魚，魚可殺；以祿取人，人可竭；以家取

國，國可拔；以國取天下，天下可畢。嗚呼！曼曼綿綿，其聚必散；嘿嘿昧昧，其光必遠。微哉！聖人之德，誘乎獨見。樂哉！聖人之慮，各歸其次，而樹斂焉。」

譯文 文王問：「衹有仁德之人能夠接受直諫，不厭惡真情實話，我又怎麼會對您的話產生反感呢？」

太公回答：「釣絲細微，魚餌明顯，小魚就會將魚餌吞食；釣絲粗細適中，魚餌香美，中等大小的魚就會將魚餌吞食；釣絲粗大，魚餌豐厚，大魚就會將魚餌吞食。魚吞食了魚餌，就會被釣絲所牽制；人得到了俸祿，就會臣服於君主。所以，用魚餌來釣魚，就可以將魚捕殺；用俸祿來招攬人才，人才就會竭力效命；以家為誘餌謀取一國，就可以將該國奪得；以國為誘餌謀取天下，就可以使天下完全為我所有。唉！國運看似綿綿不絕，但如果沒有凝聚人心，最終必將離散；國君看似默默無聞，不自我顯露，但他的光輝必將照耀遠方。微妙啊！聖人的德行，就在於見解獨到，先知先覺。值得高興啊！聖人的思慮，是使人們各自處在合適的位置，從而確立收攬人心的方法。」

原文 文王曰：「樹斂若何而天下歸之？」

太公曰：「天下非一人之天下，乃天下之天下也。同天下之利者，則得天下；擅天下之利者，則失天下。天有時，地有財，能與人共之者，仁也。仁之所在，天下歸之。免人之死，解人之難，救人之患，濟人之急者，德也。德之所在，天下歸之。與人同憂、同樂、同好、同惡者，義也。義之所在，天下赴之。凡人惡死而樂生，好德而歸利，能生利者，道也。道之所在，天下歸之。」

譯文 文王問：「如何確立收攬人心的方法纔能使天下人歸附呢？」

太公回答：「天下並不是某一個人的，而是天下所有人的。能與天下人共

享利益的人，就可以得到天下；獨享天下利益的人，就會失去天下。天有四時，地生財富，能與人們共同享有，這就是『仁』。有『仁』的地方，天下人就會歸附。爲他人免除死亡的危險，解除他人的危難，解救別人的禍患，周濟別人的急需，這就是『德』。有『德』的地方，天下人就會歸附。與人們一起憂慮，一起歡樂，有共同的喜好，有共同的憎惡，這就是『義』。有『義』的地方，天下人就會趕赴那裏去歸順。凡是人，都厭惡死亡而喜好生存，喜好美德而趨向利益，能爲天下人創造利益，這就是『道』。有『道』的地方，天下人就會歸附。」

原文 文王再拜曰：「允哉！敢不受天之詔命乎！」乃載與俱歸，立爲師。

譯文 文王對著太公連拜兩次，說道：「說得太對了！我怎敢不接受上天委託您向我傳達的詔命呢？」於是，周文王請太公同車而歸，並拜太公爲師。

盈虛第二

原文 文王問太公曰：「天下熙熙，一盈一虛，一治一亂，所以然者，何也？其君賢不肖不等乎？其天時變化自然乎？」

太公曰：「君不肖，則國危而民亂；君賢聖，則國安而民治。禍福在君，不在天時。」

譯文 文王問太公：「天下事物紛亂繁雜，氣運有時旺盛有時衰弱，國家有時安定有時混亂。之所以出現這種情況，原因何在呢？是因爲國君有賢與不賢的差別嗎？是因爲天時變化自然產生的結果嗎？」

太公回答：「國君無才無德，國家就會危險，民衆就會混亂；國君賢德聖明，國家就會安定，民衆就會得到治理。國家的禍福在於君主，而不在於天時。」

原文

文王曰：「古之賢君可得聞乎？」

太公曰：「昔者帝堯之王天下，上世所謂賢君也。」

譯文

文王問：「古代賢明君主的情況，我能聽聽嗎？」

太公回答：「從前帝堯依靠德政統治天下，他就是上古時代所謂的賢明君主。」

原文

文王曰：「其治如何？」

太公曰：「帝堯王天下之時，金銀珠玉不飾，錦繡文綺不衣，奇怪珍異不視，玩好之器不寶，淫佚之樂不聽，宮垣屋宇不堊，甍、桷、椽、楹不斫，茅茨偏庭不剪。鹿裘禦寒，布衣掩形，糲粱之飯，藜藿之羹。不以役作之故，害民耕織之時。削心約志，從事乎無爲。吏忠正奉法者尊其位，廉潔愛人者厚其祿。民有孝慈者愛敬之；盡力農桑者慰勉之。旌別淑德，表其門閭。平心正節，以法度禁邪僞。所憎者，有功必賞；所愛者，有罪必罰。存養天下鰥寡孤獨，賑贍禍亡之家。其自奉也甚薄，其賦役也甚寡，故萬民富樂而無飢寒之色。百姓戴其君如日月，親其君如父母。」

文王曰：「大哉！賢君之德也！」

譯文

文王問：「帝堯是如何治理天下的？」

太公回答：「帝堯稱王天下的時候，不用金銀珠玉作裝飾品，不穿用花紋華麗的精美絲織物做成的衣服，不觀賞奇異珍貴的物品，不把賞玩的器具當作寶貝，不聽輕浮放蕩的音樂，不用白土粉飾宮廷的牆垣，不雕飾甍、桷、椽、楹，不修剪庭院中的茅草、蒺藜。穿鹿皮做的大衣抵禦嚴寒，用粗布做衣服遮蔽身體，喫粗糧飯，喝野菜和豆葉湯。不因爲徵發勞役的緣故妨害、耽擱農民耕田織布。抑制欲望，清靜無爲。官吏中忠誠守法的就提高他的地位，廉潔

平其心志，正其禮節，以法度禁止奸邪詐僞。平日所憎惡者，有功必賞；平日所親愛者，有罪必罰。存養天下鰥寡孤獨之人，孟子云：「老而無妻曰鰥，老而無夫曰寡，幼而無父曰孤，老而無子曰獨；此四者，天下之窮民而無告者，文王發政施仁，必先斯四者。」又賑濟贍養有禍患喪亡之家。

愛民的就增加他的俸祿。對百姓中有孝敬和慈愛之心的人就給予尊敬；對百姓中盡力從事種地和養蠶的人給予鼓勵。區別百姓中善良美好的人，在他的家門口進行表彰。保持公平之心，端正操守，利用法令和制度禁止奸邪詐偽的行爲。對自己所厭惡的人，如果建立了功勛同樣給予獎賞；對自己所喜歡的人，如果犯了罪同樣給予懲罰。撫養天下無所依靠的老弱幼小，用財物周濟遭受天災人禍的家庭。而他自己的生活卻非常簡樸，加在百姓身上的賦稅和徭役也很少，所以所有百姓的生活都富足歡樂，臉上沒有飢寒之色。百姓尊崇帝堯就像景仰日月一樣，親近帝堯就像親近自己的父母一樣。」

文王說：「偉大啊！帝堯真是一位賢德的君主！」

國務第三

原文　**文王問太公曰：「願聞爲國之大務，欲使主尊人安，爲之奈何？」**

太公曰：「愛民而已！」

譯文　文王問太公：「我希望聽聽治國的要務，要想使君主受到尊崇，百姓得到安寧，應該怎麼做？」

太公回答：「衹要愛護百姓就可以了。」

原文　**文王曰：「愛民奈何？」**

太公曰：「利而勿害，成而勿敗，生而勿殺，與而勿奪，樂而勿苦，喜而勿怒。」

譯文　文王問：「應當如何愛護百姓呢？」

太公回答：「使百姓獲得利益而不要加以損害，使百姓獲得收成而不要耽誤他們的農時，使百姓生存下去而不要加以傷害，給予百姓實惠而不要進行掠奪，使百姓生活快樂而不要使其蒙受痛苦，使百姓喜悅而不要使其怨恨憤怒。」

原文

文王曰：「敢請釋其故。」

太公曰：「民不失務，則利之；農不失時，則成之；省刑罰，則生之；薄賦斂，則與之；儉宮室臺榭，則樂之；吏清不苛擾，則喜之。民失其務，則害之；農失其時，則敗之；無罪而罰，則殺之；重賦斂，則奪之；多營宮室臺榭以疲民力，則苦之；吏濁苛擾，則怒之。故善爲國者，馭民如父母之愛子，如兄之愛弟。見其飢寒，則爲之憂；見其勞苦，則爲之悲；賞罰如加於身，賦斂如取己物。此愛民之道也。」

譯文

文王說：「我冒昧地請您解釋一下其中的道理。」

太公回答：「使民衆不失去職業，就是使他們獲得利益；使農民不失農時，就是促成了農業生產；減省刑罰，就是保證了民衆的生存繁育；少徵收田賦、稅收，就是給予民衆實惠；少營建宮室臺榭，就是使民衆生活安樂；官吏清

大營宮室

秦始皇消滅六國、統一全國以後，在都城咸陽大興土木，修建陵墓和宮殿，勞民傷財。

廉，不盤剝騷擾，就是使民衆喜悅。使民衆失去職業，就是損害他們的利益；使農時受到耽擱，就是敗壞了農業生產；民衆無罪卻加以懲罰，就是對他們進行傷害；橫徵暴斂，就是加重他們的負擔；大肆營建宮室臺榭而使民力疲憊，就是使民衆痛苦；官吏貪污，盤剝騷擾，就是使民衆心懷怨憤。所以善於治理國家的君主，治理民衆就像父母關愛子女，兄長愛護弟妹一樣。看到他們挨餓受凍，就爲他們憂慮；看到他們勞苦，就爲他們悲傷；對他們施行獎賞或懲罰，就像加在自己身上一樣；向他們徵收賦稅，就像奪取自己的資財一樣。這些，就是愛護民衆的道理和方法。」

大禮第四

原文 文王問太公曰：「君臣之禮如何？」

太公曰：「爲上唯臨，爲下唯沈；臨而無遠，沈而無隱。爲上唯周，爲下唯定；周則天也，定則地也。或天或地，大禮乃成。」

譯文 文王詢問太公說：「君臣之間的禮法應該怎樣確定？」

太公回答：「爲君主的要能居高臨下洞察下情，爲臣民的要沈伏於下臣服君主；君主居高臨下洞察下情在於不疏遠民衆，臣民臣服於下在於不能隱瞞私情。爲君主的要普施恩惠，爲臣民的要安分守法；君主普施恩惠要做法蒼天覆蓋萬物，臣民安分守法要做法大地穩重厚實。君主做法蒼天，臣民做法大地，君臣之間的禮法就確定了。」

原文 文王曰：「主位如何？」

太公曰：「安徐而靜，柔節先定；善與而不爭，虛心平志，待物以正。」

譯文 文王問：「君主應該怎樣處於君位？」

太公回答：「安詳從容而沈潛清靜，柔和有節而胸有成竹；要善於施恩於民而不同他們爭奪利益，做到虛心靜氣，志平而不徇私，處理事務公平正直。」

【原文】文王曰：「主聽如何？」

太公曰：「勿妄而許，勿逆而拒；許之則失守，拒之則閉塞。高山仰之，不可極也；深淵度之，不可測也。神明之德，正靜其極。」

【譯文】文王問：「君主應該怎樣聽取意見呢？」

太公回答：「不要輕率地表示贊同，不要迎頭就予以拒絕；輕率地贊同就容易喪失節操，迎頭拒絕就容易閉塞言路。君主要像高山那樣，令臣下仰望，卻難以看到巔峰；要像深淵一樣，令臣下揣摩，卻難以測量深度。神聖英明的君主之德，就是思慮精誠，心氣平靜到了極致。」

【原文】文王曰：「主明如何？」

太公曰：「目貴明，耳貴聰，心貴智。以天下之目視，則無不見也；以天下之耳聽，則無不聞也；以天下之心慮，則無不知也。輻輳並進，則明不蔽矣。」

【譯文】文王問：「君主怎樣纔能英明而洞察一切？」

太公回答：「眼睛以視覺敏銳爲貴，耳朵以聽覺敏銳爲貴，頭腦以善於思考爲貴。依靠天下人的眼睛去看，那麼沒有什麼是看不見的；依靠天下人的耳朵去聽，那麼沒有什麼是聽不到的；依靠天下人的頭腦去思考，那麼沒有什麼是不知道的。像車輻集中到車軸一樣，將四面八方的見聞和智慧匯集到君主那裏，那麼君主就能洞察一切而不受蒙蔽。」

明傳第五

【原文】文王寢疾，召太公望，太子發在側。曰：「嗚呼！天將棄予，周之社稷將以屬汝。今予欲師至道之言，以明傳之子孫。」

太公曰：「王何所問？」

【譯文】文王臥病在床，召見太公望，太子姬發在旁。文王說：「唉！上天將要拋棄我了，周朝的國家大事就託付給你了。現在我想要聽您講講至理名言，並把這些話明確地傳給子孫後代。」

太公問道：「大王要問些什麼？」

【原文】文王曰：「先聖之道，其所止，其所起，可得聞乎？」

太公曰：「見善而怠，時至而疑，知非而處，此三者，道之所止也；柔而靜，恭而敬，強而弱，忍而剛，此四者，道之所起也。故義勝欲則昌，欲勝義則亡；敬勝怠則吉，怠勝敬則滅。」

【譯文】文王問：「古代先賢的治國之道，為什麼會消亡埋沒，為什麼會復興發展，您能講給我聽聽嗎？」

太公回答：「看到善事卻怠慢不為，時機來臨卻遲疑不決，明知有錯卻安然處之，這三點就能使先聖之道消亡埋沒；持身柔和寧靜，待人恭敬有禮，強大而能自居弱小，隱忍而剛強，這四點，就能使先聖之道復興發展。所以，道義勝過私欲，國家就會昌盛，私欲勝過道義，國家就會衰亡；恭敬勝過怠惰，國家就祥和，怠惰勝過恭敬，國家就會滅亡。」

六守第六

【原文】文王問太公曰：「君國主民者，其所以失之者何也？」

太公曰：「不慎所與也。人君有六守、三寶。」

文王曰：「六守者何也？」

太公曰：「一曰仁，二曰義，三曰忠，四曰信，五曰勇，六曰謀，是謂六守。」

【譯文】文王問太公說：「統治國家、治理民眾的君主，其之所以失去國家和民眾的原因是什麼？」

太公回答：「這是因爲選拔任用人才不謹慎造成的。君主應該做到六守、三寶。」

文王問：「六守是什麼？」

太公說：「一是仁愛，二是正義，三是忠誠，四是信用，五是勇敢，六是智謀。這就是所謂的六守。」

【原文】文王曰：「愼擇六守者何？」

太公曰：「富之而觀其無犯，貴之而觀其無驕，付之而觀其無轉，使之而觀其無隱，危之而觀其無恐，事之而觀其無窮。富之而不犯者仁也，貴之而不驕者義也，付之而不轉者忠也，使之而不隱者信也，危之而不恐者勇也，事之而不窮者謀也。人君無以三寶藉人，藉人則君失其威。」

【譯文】文王問：「怎樣謹慎地選擇符合六守標準的人才呢？」

太公回答：「使他富裕，觀察他是否能做到不憑藉財富胡作非爲；使他地位尊貴，觀察他能否做到不驕不縱；託付他重任，觀察他是否能做到不獨斷專行；指派他完成任務，觀察他能否做到不隱瞞欺騙；讓他做危險的事，觀察他能否做到臨危不懼；要他處理突發之事，觀察他能否做到應變無窮。擁有財富而不胡作非爲，就是仁愛之人；地位尊貴而不驕不縱，就是正義之人；身負重任而不獨斷專行，就是忠誠之人；完成任務而不隱瞞欺騙，就是守信之人；面臨危險而不畏懼，就是勇敢之人；處理突發之事而能應變無窮，就是足智多謀之人。同時，君主不要把國家的三寶輕易地交給別人，如果把三寶交給別人，那麼君主就會喪失自己的權威。」

【原文】文王曰：「敢問三寶？」

太公曰：「大農、大工、大商，謂之三寶。農一其鄉，則穀足；工一其鄉，則器足；商一其鄉，則貨足。三寶各安其處，

民乃不慮。無亂其鄉，無亂其族，臣無富於君，都無大於國。六守長，則君昌；三寶完，則國安。」

譯文　文王問：「我冒昧地再問一下，您所說的三寶是什麼？」

太公回答：「重視農業、手工業、商業，就是國家的三寶。把農民聚集在一處進行農業生產，糧食就充足；把工匠聚集在一處進行生產，器具就充足；把商人聚集在一處進行貿易，貨物就充足。讓這三種行業在各自的範圍內經營各自的事業，民衆就不會有不安現狀的想法。所以，不要讓農民、工匠、商人在同一個地方雜處，不要打亂他們聚族而居的習慣，不要讓臣下的財富超過君主，不要讓都大於國。如果能把六守作爲選拔人才的常則，那麼君主的事業就會昌盛興旺；如果能完善三寶，那麼國家就能長治久安。」

守土第七

原文　文王問太公曰：「守土奈何？」

太公曰：「無疏其親，無怠其衆，撫其左右，御其四旁。無藉人國柄，藉人國柄，則失其權。無掘壑而附丘，無捨本而治末。日中必彗，操刀必割，執斧必伐。日中不彗，是謂失時；操刀不割，失利之期；執斧不伐，賊人將來。涓涓不塞，將爲江河；熒熒不救，炎炎奈何；兩葉不去，將用斧柯。是故人君必從事於富。不富無以爲仁，不施無以合親。疏其親則害，失其衆則敗。無藉人利器，藉人利器，則爲人所害，而不終其正也。」

譯文　文王問太公說：「應該如何守衛國土呢？」

太公回答：「不要疏遠宗室貴族，不要怠慢廣大民衆，安撫身邊的近臣，控制四方天下。不要將國家的權柄交給他人，將國家的權柄交給他人，國君就會喪失權威。不要像用深谷的土來增加山丘的高度那樣，損害地位低微的

平民的利益來使權貴獲利，不要輕視農業而重視工商業。在太陽當頭的正午，就一定要抓緊時機曝曬東西；手執利刀，就一定要抓緊時機收割；手執斧鉞，就一定要抓緊時機征伐。正午時不曝曬東西，這就叫錯過合適的時辰；手執利刀卻不收割，這就叫失去有利的時機；手執斧鉞而不殺敵，敵人就會乘虛而入。細小的水流不加堵塞，就會發展成爲大江大河；星星之火不去撲滅，炎炎烈火燃燒起來將無可奈何；剛萌生的嫩芽不除去，將來就得動用斧子去砍伐。所以君主一定要努力使國家變得富強。國家不富強就難以施行仁義，不施行仁義就難以團結宗室貴族。疏遠宗室貴族就會受到損害，失去廣大民衆就會導致失敗。不要把國家的權柄交給別人，把國家的權柄交給別人，就會被人傷害而得不到善終。」

原文

文王曰：「何謂仁義？」

太公曰：「敬其衆，合其親。敬其衆則和，合其親則喜，是

入關約法

公元前二〇六年，劉邦攻入咸陽時，將秦朝的苛刻法制一律廢除，並封存府庫，與民約法三章，沒有傷害歸順的民衆，深得民衆支持。

謂仁義之紀。無使人奪汝威。因其明，順其常。順者任之以德，逆者絕之以力。敬之無疑，天下和服。」

譯文　文王問：「什麼是仁義？」

太公回答：「敬重自己的民衆，團結自己的宗親。敬重民衆就會上下和睦，團結宗親那麼大家都歡喜，這就是施行仁義的重要準則。不要讓人奪走你的權威。依靠自己明察是非，遵照事物的常理行事。對於歸順自己的人，就用德行去感化；對於反抗自己的人，就用武力去滅絕。如果能遵循上述原則，並且毫不猶豫地去執行，那麼天下就會順從和諧了。」

守國第八

原文　文王問太公曰：「守國奈何？」

太公曰：「齋。將語君天地之經，四時所生，仁聖之道，民機之情。」

譯文　文王問太公說：「怎樣纔能保守住國家的政權呢？」

太公回答：「請您先齋戒。然後我將告訴您有關天地運行的常道，四季萬物生長的規律，仁君聖賢治國的準則，以及人民機心變化的情由。」

原文　王即齋七日，北面再拜而問之。

太公曰：「天生四時，地生萬物。天下有民，仁聖牧之。故春道生，萬物榮；夏道長，萬物成；秋道斂，萬物盈；冬道藏，萬物尋。盈則藏，藏則復起，莫知所終，莫知所始。聖人配之，以爲天地經紀。故天下治，仁聖藏；天下亂，仁聖昌。至道其然也。聖人之在天地間也，其寶固大矣。因其常而視之則民安。夫民動而爲機，機動而得失爭矣。故發之以其陰，會之以其陽，爲之先唱，天下和之。極反其常，莫進而爭，莫退而讓。守國如此，與天地同光。」

譯文 文王因此齋戒七天，行弟子敬師之禮向太公拜了兩次，再度詢問守國的道理。

太公說：「天體運行，產生了四季交替，大地孕育孳生萬物。天下有衆多民衆，需要仁君聖人統治、管理他們。依照規律，春天萬物開始生長，所以萬物繁榮；夏天萬物茁壯成長，所以萬物繁榮茂盛；秋天萬物完成生長，所以萬物飽滿成熟；冬天萬物潛伏生機，所以萬物潛藏不動。萬物成熟後就應當潛伏起來，潛伏之後又會重新萌芽，周而復始，循環往覆，沒有終結，沒有起始。聖人配合這一自然規律，做法天地，制定治理國家的綱常法度。因此，如果天下安定，仁君聖人就應該潛藏起來；如果天下混亂，仁君聖人就應該應運而起，撥亂反正，建立功業。這是天地之間的根本規律決定的。聖人處於天地之間，他的地位和作用的確十分重大。他遵循常理來治理天下，那麼民衆就能保持安定。民心浮動，就產生變亂的契機；一旦出現這種契機，就必然出現得失之爭。這時聖人應該隱秘地發動操縱，等待時機，然後公開地進行征討，首先提倡，天下人就都會響應。當變亂平息，一切恢復正常，不要進一步與民衆爭功，不要退一步遜讓治國的權力。能像這樣保守住國家政權，就能與天地同光。」

上賢第九

原文 文王問太公曰：「王人者，何上，何下，何取，何去，何禁，何止？」

太公曰：「王人者，上賢，下不肖，取誠信，去詐僞，禁暴亂，止奢侈。故王人者，有六賊七害。」

譯文 文王問太公說：「做君主的，應該尊崇什麼樣的人，應該壓制什麼樣的人，應該任用什麼樣的人，應該除去什麼樣的人，應該嚴禁什麼樣的行爲，應該遏止什麼樣的舉動？」

太公回答：「做君主的，應該尊崇德才兼備的賢人，應該壓制無德無才的人；應該任用忠誠不欺的人，應該除去奸詐虛偽的人；應該嚴禁暴亂的行爲，應該遏止奢侈的舉動。對君主來說，應該警惕六賊七害。」

原文

文王曰：「願聞其道。」

太公曰：「夫六賊者：一曰，臣有大作宮室池榭，遊觀倡樂者，傷王之德。二曰，民有不事農桑，任氣遊俠，犯歷法禁，不從吏教者，傷王之化。三曰，臣有結朋黨，蔽賢智，鄣主明者，傷王之權。四曰，士有抗志高節，以爲氣勢，外交諸侯，不重其主者，傷王之威。五曰，臣有輕爵位，賤有司，羞爲上犯難者，傷功臣之勞。六曰，強宗侵奪，陵侮貧弱者，傷庶人之業。

譯文

文王說：「我想聽聽這些道理。」

太公說：「六賊就是：第一，大臣中有大肆營建宮室池榭，以供觀賞倡優

表演的，就會敗壞君主的德行。第二，民衆有不從事農耕和養蠶，縱意氣，喜歡打抱不平，違反法律禁令，不服從官吏管教的，就會損害君主的教化。第三，大臣中有結黨營私，排擠賢人智士，蒙蔽君主視聽的，就會損害君主的權勢。第四，士人中有自認爲具有高尚的志氣和節操，抬高身價，制造聲勢，在外結交諸侯，不尊重自己的君主的，就會損害君主的威嚴。第五，大臣中有輕視爵位，藐視官吏，以替君主冒險犯難爲恥的，就會挫傷功臣的積極性。第六，強大的宗族中有掠奪、淩辱貧弱的，就會損害平民百姓的生計。」

原文

「七害者：一曰，無智略權謀，而以重賞尊爵之故，強勇輕戰，僥幸於外，王者愼勿使爲將。二曰，有名無實，出入異言，掩善揚惡，進退爲巧，王者愼勿與謀。三曰，樸其身躬，惡其衣服，語無爲以求名，言無欲以求利，此僞人也，王者愼勿近。四曰，奇其冠帶，偉其衣服，博聞辯辭，虛論高議，以爲容

美，窮居靜處，而誹時俗，此奸人也，王者慎勿寵。五曰，讒佞苟得，以求官爵；果敢輕死，以貪祿秩；不圖大事，得利而動，以高談虛論，說於人主，王者慎勿使。六曰，爲雕文刻鏤，技巧華飾，而傷農事，王者必禁之。七曰，僞方異技，巫蠱左道，不祥之言，幻惑良民，王者必止之。

譯文

「所謂七害：第一，沒有智謀權略，但爲了獲取豐厚的獎賞和尊貴的爵位，而強橫持勇，輕率赴戰，企圖僥幸在外立功，對於這種人，君主一定不要讓他擔任將領。第二，徒有虛名而並無真才實學，言行不一，掩蓋別人的善行，宣揚別人的惡行，到處專營取巧，對於這種人，君主一定不要同他圖謀大事。第三，對自身不加裝飾，穿粗劣的衣服，高談清靜無爲而一心求名，闊論克制私欲而一心求利，這是詐僞之人，對於這種人，君主一定不要同他親近。第四，冠帶奇特，衣服奇異，見聞廣博，善於辯論，高談不切實際的言論，以此博取尊者的接納和稱讚，身居偏僻簡陋之所，卻誹謗時事風俗，這是奸邪之人，對於這種人，君主一定不要寵信他。第五，進讒言諂媚，不擇手段，以此謀取官職和爵位；魯莽急躁，輕率赴死，以此求得俸祿；不顧大局，祇要對自己有利就輕舉妄動，憑藉不切實際的高談闊論取悅君主，對於這種人，君主一定不要予以任用。第六，致力於用高超的技藝在器物上鏤刻花紋用以裝飾，導致農業生產受到損害。對於這種行爲，君主一定要加以禁止。第七，用騙人的方術、奇特的技藝、巫蠱、旁門左道，以及惑亂人心的妖言，來迷惑、欺騙善良的民衆，對於這些行爲，君主必須嚴格制止。」

原文

「故民不盡力，非吾民也；士不誠信，非吾士也；臣不忠諫，非吾臣也；吏不平潔愛人，非吾吏也；相不能富國強兵，調和陰陽，以安萬乘之主，正群臣，定名實，明賞罰，樂萬民，非吾相也。

夫王者之道如龍首。龍，陽物也，故以比王者之道。龍首居高而遠望，視深而聽審。示其形，使人知所畏；隱其情，使人不可測。又若天之高遠而不可窮極也，又若淵之深浚而不可度量也。

譯文

「所以民衆不盡力從事生產，就不是君主的好民衆；士人不忠誠守信，就不是君主的好士人；臣子不盡忠直諫，就不是君主的好臣子；官吏不公平廉潔愛護百姓，就不是君主的好官吏；宰相不能富國強兵，使陰陽有序，風調雨順，穩固君主的地位，匡正群臣的言行，核定名實，嚴明賞罰，使廣大民衆安居樂業，就不是君主的好宰相。

原文

「夫王者之道如龍首，高居而遠望，深視而審聽。示其形，隱其情，若天之高不可極也，若淵之深不可測也。故可怒而不怒，奸臣乃作；可殺而不殺，大賊乃發。兵勢不行，敵國乃強。」

文王曰：「善哉！」

譯文

「所以君主的統治之道，如同隱而不現的龍頭，居於極高之處，遠眺世間萬物，深刻地觀察，仔細地聽取。雖然顯露出自己的形體，卻將內心的真情隱藏起來，就像蒼天一樣高不可及，又像深淵一樣不可測量。所以，君主如果當怒而不怒，奸臣就會興風作浪；當殺而不殺，大奸大惡就會乘機作亂。軍隊的威勢不能行於遠方，敵國就會強盛起來。」

文王說：「您講得真好啊！」

舉賢第十

原文

文王問太公曰：「君務舉賢而不獲其功，世亂愈甚，以致危亡者，何也？」

太公曰：「舉賢而不能用，是有舉賢之名，而無用賢之實也。」

文王曰：「其失安在？」

太公曰：「其失在君好用世俗之所譽，而不得真賢也。」

譯文

文王問太公說：「君主致力於選賢任能，但卻不能獲得實效，世道

混亂愈演愈烈，最終導致國家滅亡，這是什麼緣故呢？」

太公回答：「選拔賢能卻不任用他們，結果空有選拔賢能的虛名，而不能收到任用賢能的實效。」

文王又問：「是什麼原因導致了這種失誤呢？」

太公回答：「導致這種失誤的原因在於君主喜歡任用世俗所稱讚的人，而沒有眞正得到賢能的人。」

原文 文王曰：「何如？」

太公曰：「君以世俗之所譽者爲賢，以世俗之所毀者爲不肖，則多黨者進，少黨者退。若是，則群邪比周而蔽賢，忠臣死於無罪，奸臣以虛譽取爵位，是以世亂愈甚，則國不免於危亡。」

譯文 文王問：「爲什麼這麼說？」

太公回答：「如果君主把世俗所稱讚的人當作賢能的人，把世俗所詆謗的人當作不賢能的人，那麼朋黨多的人就得到進用，朋黨少的人就遭到排斥。這樣一來，那麼奸邪不正之徒就會結黨營私，賢能之人被阻擋在外，忠臣無罪而被置於死地，奸臣憑藉虛假的名譽取得爵位，因而導致世道混亂愈演愈烈，而國家不能免於陷入危亡。」

原文 文王曰：「舉賢奈何？」

太公曰：「將相分職，而各以官名舉人，按名督實。選才考能，令實當其名，名當其實，則得舉賢之道也。」

譯文 文王問：「應該怎樣選用賢能之人呢？」

太公回答：「要做到將相分工，並根據官職的名稱分別舉用人才，要根據官名所表示的意義考核一個人是否具備擔任這一職務的才能。遴選各種人才，考察他們的實際能力，使其德才與其所擔任的官職相當，官位與其德才相當，這樣做就算是掌握了選用賢能的要領。」